悪口ってなんだろう

和泉悠 Izumi Yu

★――ちくまプリマー新書
432

目次＊Contents

はじめに

悪口を言ったことがない、言われたことがない人が世の中にいるでしょうか。私は、そんな人いないのではと思っているので、「悪口なんか言ったことありません」と言い切る人がいたら、「えーほんとかなあ。嘘《うそ》つきなんじゃないの？」と思わず悪口を言ってしまいそうです。

この本は悪口についての本で、「悪口とは一体何か？」という問いに答えていきます。後で詳しく説明しますが、あらかじめその答えを出しておくと、悪口とは「誰かと比較して人を劣った存在だと言うこと」です。ぱっと見て、単純な答えですので、ふーん、あっそ、と思われるかもしれませんが、「人を傷つけることば」とか「悪意を持ってことばで攻撃すること」といった常識的なことを言っていない、とも気づいてください。

私は、そうした悪口についての一見正しいように思える発想は、間違っているだけでなく、有害なところすらあると考えています。ですので、本書では、悪口が本当はどのようなものなのか、悪口は何と混同されるのか、ということをしっかり議論していきます。

悪口が右で述べたようなものだとすると、悪口やその他の攻撃的なことばについて、そして悪口を生み出す人間や社会についてもいろいろなことが分かってきます。本書の中では、私が悪口について考える中で気づいたことも、みなさんに報告していきます。

悪口についての本なんて誰が読みたいのでしょうか。悪口と一切関わりのない、本当に天使みたいな人は、この本を読まなくてもいいかもしれません。しかし、私を含むほとんどの人間は、天使とはほど遠く、悪口を言ったり言われたりして暮らしています。悪口や攻撃的な言語について、いろいろな疑問を持ったことがある人も多いと思います。どうしてこのことばが悪口になって、あっちはそうじゃないの？　なんで冗談をちょっと言っただけなのに、悪人扱いされないといけないの？　そのような疑問を抱いたことがある人は、ぜひ続きを読んでみてください。あなたが不思議に思ったことへの答えが書いてあるかもしれません。

また、悪口について悩んだことがある人にとっても、本書は少しばかりの助けになるでしょう。本書は、悪口や攻撃的なことばを、哲学や言語学といった、学問分野の知恵を使って検討します。実際の悪口は、とても個人的な体験で、怒ったり、悲しくなったりと、心がざわついてしまうものです。しかし、学問的な議論を通して悪口を考えると、一歩引いた立ち位置から、冷静に、悪口とはどのような現象なのかがとらえられるようになります。

後から説明されますが、悪口は根本的に社会の中で起こる現象です。私たちは誰も、文字通り、独りでは生きていけません。みんな大小の集団、コミュニティの中で暮らしています。そしてコミュニティでの人間関係に困ったり、悩んだりすることがあるでしょう。本書は、あくまで一般的に悪口を理解しようとする試みですので、具体的な問題や悩み事への解決を与えることはできません。しかし、「悪口」と私たちが呼ぶものが一体何なのか、何が起こっているのかについて、正確な理解を得ることができたなら、それとどうつき合っていくかのヒントも得られるでしょう。

この本は、関連した二〇の短い節でできており、「悪口はどうして悪いのか」「どこからどこまでが悪口なのか」「悪口はどうして面白いのか」という悪口に関する三つの問いに答えながら、悪口と関連することばの仕組みへの理解を深めていきます。問いへの答えになるように、節がパート分けされていますので、パートごとに読んでもらってもかまいませんし、目次を眺めて、気になる節から読んでもらってもかまいません。とはいえ、ある程度は積みあげる形の議論をして、前の節で述べたことを踏まえるときもあります。いずれにせよ、予備知識などはまったくいりませんので、気軽に読み進めてみてください。

ひとことだけことわりを入れると、本書はトピックがトピックなので、以下ではそれなりに暴言や汚いことばが登場します。悪口リストを作ることが目的ではないため、あまり過激になる必要はありません。差別的なことばは、歴史的な例ひとつを除いて、直接的には出てきません。それでも、「きもい」くらいのことばは何度も出てきますので、その点はあらかじめ言っておきます。

パートI

悪口はどうして悪いのか

最初に取りあげる疑問は、「なぜ悪口は悪いの？」というものです。すごく簡単そうな問いですが、まじめに答えようとすると結構難しく、むしろ常識的な答えには問題もあります。以下では私の答えを出しつつ、常識的な答えのどこがおかしいのかも指摘していきます。

ところで、「悪口はどうして悪いのか」という問いの立て方は少しミスリードなところがあって、私は悪口がいつでもどこでもすべて悪いとは思っていません。ですので、より正確には、「明らかに悪い悪口があるけど、それらはどうして悪いの？」「何が悪口を悪くするの？」といった疑問に答えていきます。どこからが悪い悪口で、どこまではオーケーなの、といった疑問には、パートⅡで答えます。

1 人を傷つけるから悪いのか

「悪口はどうして悪いの?」と聞かれたとき、もっともシンプルな答えは、「人を傷つけるから」というものでしょう。理由なく人を傷つけることは悪いことで、悪口も、足で蹴るといった身体的暴力と同じように人を傷つけるので、悪口は悪い、という発想です。

殴る、蹴るとは違い、悪口によって、血が出たり、顔がはれたりするわけではありませんが、場合によってはそれと同じくらいか、あるいはそれ以上の精神的なダメージを受けることがあります。結局、苦痛というのは脳の活動によって生み出され、身体の痛みも心の痛みも、似たような脳の働きに由来すると考えられています。身体が痛いことが悪いなら、心が痛いこともちろん悪いわけです。

子どものとき、「そんなこと言われたら傷つくでしょ、嫌な気持ちになるでしょ」と、注意されたことはないでしょうか。あるいは、大きくなってからも、「他者の気持ちになって行動しなさい」と言い聞かされたことはないでしょうか。私たちは人を傷つけることを避けようとします。

「悪口が悪いのは人を傷つけるから」という考えは、とても常識的ですが、悪口の悪さをそれほどうまく説明できません。まず、悪口以外にも、人を傷つけることば、精神的なダメージを与えてしまう発言がたくさんあります。たとえば、「残念ながら不合格です」「私たち別れよう」のように、自分の期待や希望にそぐわないことを言われてしまうことは、誰にでもあります。そして、それによって、ときには立ち直れないほどに深く傷ついてしまうことすらあるでしょう。しかし、こうした発言は、もちろん悪口ではありません。ですので、ことばが人を傷つけるからといって、悪口になるとは限りません。

このポイントを、論理的なことばを使って言いかえてみると、「人を傷つけることは悪口の十分条件ではない」となります。ここで十分条件の例をあげておきます。ある人が自分の卒業証書を受け取っていることは、その人が卒業したことの十分条件です。自分の卒業証書があることが、その人が卒業していることを十分に示しています。一方、出席日数が足りていることは、卒業の十分条件ではありません。たとえば、皆勤賞をもらっていても、卒業するための他の条件を満たしていないかもしれません。すべてのテストが〇点だと、卒業させてもらえない学校が多いでしょう。

ついでに、必要条件も説明しておきます。一定の出席日数があることは、卒業の十分条件ではありませんが、必要条件です。ある程度は出席することが卒業するために必要なわけです。一方、卒業式に出席することは、卒業するために必要ではありません。風邪をひいて卒業式に出席できなくても、卒業できなくなるわけではありません。卒業式への出席は、卒業の必要条件ではないのです。

また、人を傷つけることが、悪口の必要条件でないこともすぐに分かります。つまり、人を傷つけなくても悪口になる可能性があるのです。

言っていることが誰がどう聞いても悪口だが、言われた本人はまったく傷ついていない例を考えることは簡単です。今から架空の例を出してみます。よければ、みなさんも自分の例を考えてみてください。

Aさんは同じ部活の先輩のBさんが大好きだ。でも、AさんはBさんとつき合いたいとか、結婚したいとか、そのような願望があるわけではなく、アイドルやミュージシャンのファンのような感覚を持っている。Aさんはとにかく Bさんに会いたい、できるだけ一緒にいたい、と願っている。

一方、BさんはAさんのことを邪魔だと思っていて、「Aはうざい」「Aはきもい」としょっちゅう周りに伝えている。ときには、「きも。帰れよ」などとAさん本人に向かってさえ言っている。

Aさんはしかし、そのことが気にならない。むしろ、Bさんが自分のことを考えてくれていると思うと、嬉しくなる。目を合わせて、「うざい」とか言ってくれるのを楽しみにしている。

Bさんのことばは、シンプルに悪口だと思う人が多いでしょう。しかし、Aさんは、それをまったく気にしていないどころか、むしろ喜んですらいます。ですので、人を傷つけなくてもことばは悪口になります。

ひょっとしたら、Aさんは傷ついていないので、Bさんの言っていることは悪口ではない、と考える人もいるかもしれません。では、次のような例はどうでしょうか。

人間は、虐待といった強烈なストレスが与えられたとき、自分を守るために身体から心を切り離すことがあります。ぼーっとする、夢の中にいる気がする、自分の体験や感情を覚えていない、感覚が麻痺《まひ》する、といった状態になります。たとえば、すごくいじめられている人が、一種の自己防衛として、何を言われても何も感じなくなってしまったとします。感覚が麻痺しているのだから、その人に何を言っても悪口にはならないのでしょうか。そんなことはないでしょう。たとえ、そこでたまたま傷ついていなかったとしても、痛みも何も感じなかったとしても、悪口は悪口だと私たちは考えます。

むしろ、人が傷つくかどうかや、不快に思うかどうか、という基準ばかりに焦点を当てることで不都合も生じます。いじめられている側が、「やめろバカ！」と、多少乱暴なことばを使って、自分の身を守ろうとしたとします。そのとき、そのことばづかいは他人に不快感を与えるからやめましょう、などといじめられている側を注意したとすると、これほど不公平なことはないでしょう。

似たようなことは、より広い社会におけるやりとりの中にも見られます。女性や黒人といった、差別されている人たちが、差別的な社会の仕組みに対して批判の声をあげたとき、その批判の内容ではなく、ことばづかいや言い方に論点をそらせて、黙らせようとする反応があります。「乱暴な発言なので怖いです」「そんな言い方では誰も協力してくれませんよ」といったものです。そうした行為は、「トーン・ポリーシング」(tone policing 口調の取り締まり)と呼ばれています。

ぴしっと厳しく叱られたり、批判されたりしたら、言われた側は、たとえ批判されるだけの十分な理由があると自覚していても、不快に感じたり、居心地が悪くなったりするものです。ことばの悪さが、不快さや痛みのような感覚だけですべて説明されてしまうなら、まっとうな説教ですら悪口になってしまいますが、それはおかしな結論です。

したがって、人を傷つけるから悪口は悪いという発想で、悪口を理解することはできないのです。

2　悪意があるから悪いのか

悪口がどうして悪いのか説明しようとするもうひとつの常識的考えは、悪意のせいで悪いのだ、言う側の心の問題だ、というものです。私たちは、誰かを傷つけてやろう、嫌な気分にさせてやろうと思い、あるいはその人をバカにして、軽蔑して、悪口を言うことが確かにあります。そして、そのように人の悪意に触れることは、辛くて悲しいことです。悪口が悪いのは、さらには、悪口で傷ついてしまうのは、言う側の悪意が理由だ、という発想です。

悪意を理由にするアイデアも、日常的な感覚に近いですが、あまり役に立ちません。先ほどと同じように、悪意は悪口の必要条件でも十分条件でもないからです。

悪意がなくても、悪口を言うことができます。つまり、悪意は悪口の必要条件ではありません。たとえば、子どもの無邪気なことばはどうでしょうか。私も、三歳児とか五歳児といった小さな子どもに、「きらーい」「くさーい」などと言われることがあります。

子どもがなぜそんなことを言うかというと、言われた私の反応が面白いからです。子どもたちは、本当に屈託なく、にこにことそのようなことを言ってきます。遊んでいるだけで、心の底から、楽しい、うきうきとした気分で言うので、悪意と呼べるほどのものはありません。しかし、私はそんなことを言われると嫌なので、「そんなこと言わないで」と言います（やめてくれるわけではありませんが）。

周りのことがよく分かっていない、小さな子どもは別の話で、関係ないだろう、と思われるかもしれません。しかし、子どものように無邪気に、あるいは子どものように何も考えずに、悪口を言ってしまう大人もたくさんいることもみんな知っています。たとえば、いじめの加害者の中には、本当に自分がいじめているという自覚がない人がいるでしょう。「うざっ」や「きもっ」などと言うとしても、「いじめ」ではなく「いじっているだけ」、なんだったら喜ばせている、と考えているかもしれません。

そのような場合、発言をする側に悪意はありませんが、私たちは悪口を言っていると考えます。つまり、悪口を言うために悪意を持っている必要はないのです。

単なる悪口を超えていますが、差別的発言の中にも同じような例があります。男の人が他の人よりも偉いとされる、男尊女卑的な社会や、白人の方が黒人やアジア人などより偉いとされる、白人至上主義的な社会に生まれ育った人が、女性や黒人に対して、あなどるような、バカにするようなことを言うときがあります。たとえば、「この人は女性だから（黒人だから）医者には向いていない」といった発言です。

発言を通じて、言った人はひどい偏見を持っているんだな、ということは分かりますが、その人に悪意があるかどうかは分かりません。むしろ、親切心で、そのようなことを言ったのかもしれません。その人は子どものときから、「女の人は医者になれない」と何度も（間違ったことを）教わったので、それを単に繰り返しているだけかもしれません。「黒豆をふっくら煮るコツ」を伝えるのと同じくらいの気持ちで言っているのかもしれません。

しかし、差別的発言はその意図がどうあれ差別的発言です。どういう気持ちで言ったのか、ということよりも、誰がどのような場面で何を言ったのか、ということの方が、発言の評価にとって大事です。

悪意は悪口にとって必要でないことを確認しました。またその一方で、悪意だけでは、悪口には届きません。悪意をどれだけ込めても、それが誰にも伝わらないようなことばを使う限り、発言は悪口にはなりません。つまり、悪意は悪口の十分条件でもないのです。次のような例を考えてください。

Cさんには嫌いな部活の先輩Dさんがいる。しかし、Dさんは他の部員からとても尊敬されているため、Cさんが陰口を言っても、周りからは信じられないといった顔をされてしまう。Cさんは仕方がないので、「うざい！　しね！」と言う代わりに、精一杯の皮肉をこめて「あの人ほんとにいい人！」と言うことに決めている。結果、Cさんは「ほんといい人！」を連発している。そのとき、周りの人には一切気づかれないが、心の中では「しね！」と悪態をついていることになるので、Cさんはちょっとスッキリしている。

このとき、もちろんCさんの発言は悪口ではありません。「いい人！」と言っているだけだからです。しかし、Cさんは悪気ありありでそう言っています。ですので、悪意があることは、発言を悪口にするのに十分ではないのです。

もし悪意が発言を悪くする原因ならば、「悪気はなかった」という言い訳ひとつで、どのような発言も許されてしまいます。「悪気はなかった」に説得力がないのは、これが白々しい嘘《うそ》だからではなく、悪気があろうがなかろうが、発言に問題があるときはある、と私たちが考えるからです。

意図の有無はもちろん行為の罪深さに影響を与えると私たちは考えます。たとえば、「過失傷害罪」とは、そういうつもりはなかったけれども、不注意などで人を傷つけてしまったときに当てはまる罪です。一方、「傷害罪」の方は、人を傷つけてやろうという意図があるときに当てはまります。そして、過失傷害罪は傷害罪よりも軽い罪だとされています。しかし、わざとでないからといって、それが罪でなくなるわけではありません。事故でケガをさせられた人に向かって、「よかったねーわざとじゃなかったんだって!」という人はいないのに、不適切な発言の後に、「そういうつもりはなかった」と言う人が絶えないのは、おかしなことです。

悪口に限らず、ことばを使って何かがなされるとき、私たちは隠された意図や本当の動機のみに焦点を当てるわけではありません。私たちの発言にはおおよその型があり、その型にそって解釈が与えられます。お寿司やさんに電話をして「お寿司四人前、サビ抜きでお願いします」と言ったら、それはお寿司を「注文する」という行為をしています。お寿司が届いた後、「いや、演劇部の練習で、度胸をつけようと思っただけなんです」などと言っても、こっぴどく叱られるでしょう。その発言は、意図がどうあれ、注文したと解釈されるものだからです。

というわけで、意図や動機など、話し手の心の動きだけに注目しても、悪口がどうして悪いのかやはり説明できないのです。

3　人のランクを下げるから悪い

では悪口はどうして悪いのでしょうか。ここから、社会の中での立場という「ランク」の概念から悪口について考えていきます。この節では、悪口は人の「ランク」に働きかける、という本書の大事な主張を簡単にまとめます。パートⅠの残りの節では、「ランク」について詳しく検討することにより、悪口がどうして悪いのかその根本の理由を考察します。また、パートⅡ、パートⅢでも、本節の内容をさらに深めた議論をします。

悪口を言われて困ることのひとつは、「なめられる」ことです。もちろん、悪口を言ってくる人は、標的のことをなめているからそうするわけですが、それ以上に、他の人からもなめられるようになる、というのが問題になります。

たとえば、学校の教室で、周りに人がたくさんいるとき、EさんがFさんから「メガネくん」と失礼な感じで呼ばれたとします。Eさんはちょっと嫌だなと思ったけど、特に何も言いませんでした。このとき、Fさん以外の周りの人たちも、もし「メガネくん」の呼び方が気に入ったら、自分たちもEさんをそう呼ぶようになるでしょう。一度試してみて大丈夫だったことは、二度、三度やっても大丈夫なはずだからです。

一度悪口を言われてそれをスルーすると、その悪口は言ってもよいということになり、他の人からも同じことを言われてしまいます。さらには、こいつはそういう軽い扱いをしていいのだ、適当に扱っていいやつなんだ、というふうに認定されてしまいます。悪口はそれが怖いのです。

山の奥深くで独り、穴に向かって「王様の耳はロバの耳ー!」と叫ぶだけでは、悪口を言っているようには聞こえません。悪口は社会の中で言うものです。部活やクラスルームといった、小さなコミュニティだとしても、複数の人間が関わり合って暮らすひとつの社会です。その社会に与える悪影響から悪口を見てみるのがよいと私は考えます。「王様の耳はロバの耳」のおはなしも、穴に向かって叫んだことばが、うわさとして広まることによって物語が展開するのです。

さて、悪口でよく使われる「きもい」や「うざい」ということばは、比較をするための、「〜い」で終わることばの仲間（形容詞）です。たとえば、「高い」なら「AがBより高い」（比較級）「Cが一番高い」（最上級）といったように使われます。同じように、誰かが誰か「よりうざい」や、誰かが「一番うざい」と言うことができます。

「高い」とか「低い」はそれ自体ニュートラルなことばです。高ければ良い、ということはないですし、低ければ悪い、ということもありません（中年になると、健康診断で「尿酸値」が高いとすごくイヤですが、「給与」が高いのはすごく嬉しいものです）。

一方、「きもい」は「気持ちが悪い」を、「うざい」は「うざったい」を省略したもので、どちらもそもそも否定的な評価を表すことばです。ですので、「うざい」人は「うざくない」人よりも「良くない」「悪い」あるいは「劣っている」ということになります。

さらに、「うざい」を使う人は、普通の場合、自分のことは「うざくない」と思っているのでしょう。すると、誰かに「うざい」といった悪口を言うことは、標的は自分より劣っているのだ（自分は標的より優れているのだ）、と言っていることになります。

優劣という順番は、「上下」のランキングとしても理解することができます。悪口を言うことは、自分が暮らすコミュニティのランキングの中で、自分の方が標的よりも上位に立っているのだ、標的はより下位にいるのだ、ということを表明します。悪口は、一般的に、標的が自分よりもランクが下だと言うことなのです。これが、本書でのメインの主張になります。

自分が上、標的が下、というメッセージが悪口の基本の形になるため、いわゆる「人間以下」とみなされる、他の生き物を指すことばが頻繁に使われます。たとえば、部活をやっていて、足が遅い人に向かって「なめくじ」とか、弱いチームを「ザコ」と呼ぶことを考えてみましょう。

なめくじはもちろん歩みがとても遅いわけですが、移動が遅いものならば、オーストラリア大陸だって少しずつ移動しているわけですから、標的に向かって「オーストラリア大陸か！」と言ってもいいわけです。オーストラリア大陸の方が、なめくじよりも移動速度は遅いのですから、むしろより適切なはずです。

しかし、それだと悪口に聞こえません。私たちは普通、オーストラリア大陸が人間より上か下か意識したことはないでしょう。しかし、なめくじはぬめぬめした「下等な」

生物とみなされています。なめくじと人間に同等の価値があると思う人はいないでしょう。

また、「ザコ」は「雑魚」のことで、つまり、いろいろな魚を指しています。雑多な魚、取るに足らない、名前もない小魚扱いをしている、ということになります。

もうひとつ大事なのは、悪口には、「うっとうしい」「なめくじのように足が遅い」といった具体的な内容があるわけですが、ランクを下げるという観点からは、その内容そのものがそれほど大事というわけではない点です。標的は人間ですので、そもそも、なめくじでもなければ、おさかなでもありません。しかし、当てはまらないから問題ない、とは誰も思わないでしょう。そのような人を軽んじた表現を使って標的を呼ぶという事実そのものが、社会的な影響を与えるわけです。おさかな扱いしても標的がヘラヘラしている、また周りが何も言わないなら、他の人も標的をそういう扱いにしてもよいだろう、ということが導かれてしまうのです。

悪口は、標的のランクを下げ、社会的な立ち位置をあやうくします。その結果、標的となった人物には不都合が生じ、なにかと生きづらくなります。だから悪口は嫌なことであり、不快なことであり、屈辱的なことでもあるのです。そして悪口が悪いのは、そのような序列を作り出し、誰かを劣った存在として取り扱うことは悪いことだからです。

以下では序列について詳しく検討していきます。

4　記述のランキングと優劣のランキング

人間は比較せずにはいられない生き物です。足の速さや、模試の成績や、餃子《ぎょうざ》の売上げや、住みたい街など、とにかくランキングを作りたがります。そして、自分が上位を占めることができれば、それなりに嬉しく、誇らしく思い、身近な人物が自分より上位を占めれば、素直にすごいなあと感心する一方、うらやんだり、やっかみを覚えたりします。

人と比べるな、比較なんてしない方がいい、というアドバイスほど、言うのは簡単だがするのが難しいことはないでしょう。比較をするなとは言いません。あるいは、それは言うだけ無駄ですので、これから、比較に関連する区別を導入して、みなさんの思考を上書きします。

それは、「記述のランキング／優劣のランキング／存在のランキング」というランキングの区別です。私たちはいつでも自分と他人とを比較してしまうわけですが、この区別を心にとどめておくだけで、比較が生み出す嫌なところを少しでも避けられるようになると思います。この節では、「記述のランキング」と「優劣のランキング」を紹介して、次の節で「存在のランキング」を導入します。

私たちが人を比べることができるのは、そもそも世の中には、ひとりとしてまったく同じという人間がいないからです。身長、体重、手足の長さ、髪の毛や目の色、耳や指先の形、視力や走力、好きな食べ物、生まれて初めて観た映画、涙を流した小説、夕立で濡れたときに一番好きな匂いがする地面の素材と、いくらでも異なる観点から人々を区別することができます。一卵性の双子でも、しばらく近くにいると、見た目も性格も話し方も、二人がまったく違うことにすぐ気づきます。遺伝子が同じ程度では、同じ人物になれないのです。

人間同士には違いがあるため、何らかの観点から人に値を割り振って、順番に並べることができます。これがランキングです。たとえば、クラスメート全員の身長を測り、低い方から高い方へ、「背の順」で並んでもらうことができます。

それぞれの人が特定の身長を持っている、そしてそれらの身長の値を比較できる、というのは単なる事実です。単なる事実を記して、述べる方法のひとつなので、身長のランキングは「記述」のランキングです。期末テストの成績や、八〇〇メートル走のタイムや、さくらんぼの種を口から飛ばせる距離など、これらはすべて単なる事実ですので、これらの値にもとづいて記述のランキングを作成することができます。

「単なる事実」と強調しているのは、私たちはこれら記述のランキングをすぐに「良し悪し」や「優劣」のランキングと混同してしまうからです。そう、なぜかランキングにすぐ価値を読み込んでしまうのです。

単なる事実と価値が異なる、あるいは、事実の記述と、価値の判断が異なるというのは、哲学・倫理学における基本の発想です。「Gさんの身長は一七〇センチだ」は単なる記述ですが、「Gさんの身長は一七〇センチあった方がいい」と良し悪《あ》しの要素を加えるのが価値判断です。

ほとんどの事実の良し悪しは、そのときどきの状況や目的によって変化します。良し悪しは水ものなのです。たとえば、身長は高い方が良い、と思われるかもしれませんが、そうとは限りません。競馬の騎手やボートレーサーになりたい人たちにとっては、あまり身長が高いと体重の調整が難しく、不利になりますので、むしろ低い方が良いかもしれません。身長自体に良し悪しが含まれているわけではなく、私たちがそこに何らかの意義を見つけて、身長の違いを優劣として解釈するのです。期末テストの成績も、高い方が良い場面があれば、そうでない場面もあるでしょう。医師になることを目標としている人と、パン職人になることを目標としている人では、成績をどう評価するかがまったく違っていいはずです。

これまでの議論をまとめると、記述のランキングは単なる事実関係に過ぎませんが、そこになんらかの価値を加えると、優劣のランキングが重なって見えます。記述のランキングは事実にもとづいているので、誰にでも共通するものですが、優劣のランキングは、それぞれの人の価値観や目標によって異なりますので、どこでも一律に同じではありません。しかし私たちはすぐに、いつでもどこでも、背は高い方が良い、足は長い方が良い、目は大きい方が良い、偏差値は高い方が良い、給料は高い方が良い、などと思ってしまいます。状況次第ではそうではない、そして自分自身がそうではないかもしれないのにです。

順位をつけたり、競争したりしない方がよい、などとは言っていません。競技も切磋《せっさ》琢磨《たくま》も大歓迎です。同じ評価軸で素晴らしい結果を出す人が誉められる、賞賛されることも大事です。重要なのは、すごい人だから「評価する」ことと、同じ人間だから「尊重する」ことの区別です。これから見ていくように、すごい人だろうがすごくない人だろうが、人間として同じように尊重されるべきだからです。

5　存在のランキング

記述のランキングは特定の事実や側面についてのみ教えてくれます。人には無数の側面があるので、ひとつのランキングで上位だったとしても、他のランキングでそうとは限りません。クラスの足の速さランキングナンバーワンの人は、身長ランキングナンバーナインかもしれませんし、成績ランキングナンバーサーティかもしれません。しかし、私たちはそうした違いを一切無視して、人物そのもののランキングを作成することがあります。これが「存在」のランキングです。「人として上」「人間として下」といった言い方で表されるような考えです。

存在のランキングは、歴史的に、特にものの種類を分類するために用いられ、私たちの住む世界がどうなっているのかという、世界観の一部にもなってきました。一八世紀スイスの博物学者シャルル・ボネが表した、直線的な「自然物の階梯」（図1）を見てください。「階梯」とは階段やはしごのことを指します。はしごですので、必ず上下が

IDÉE D'UNE ÉCHELLE *DES ETRES NATURELS*	自然物の階梯の観念
L' Homme	人類
Ourang-Outang	オランウータン
Singe	猿
QUADRUPÈDES	四足類
Écureuil volant	ムササビ
Chauve-souris	コウモリ
Autruche	ダチョウ
OISEAUX	鳥類
Oiseaux aquatiques	水鳥
Oiseaux amphibies	水陸両用の鳥
Poissons volans	トビウオ
POISSONS	魚類
Poissons rampants	カレイ
Anguilles	ウナギ
Serpens d'eau	水蛇
SERPENS	蛇
Limaces	ナメクジ
Limaçons	カタツムリ
COQUILLAGES	貝類
Vers à tuyau	管棲蠕虫
Teigne	白癬
INSECTES	昆虫
Gall insects	虫こぶ昆虫
Tænia, ou Solitaire	サナダムシ
Polypes	ポリープ
Orties de mer	イラクサ
Sensitive	知覚がある
PLANTES	植物
Lichens	地衣類
Moisissures	カビ
Champignons, Agaries	キノコ、アガリクス
Truffes	トリュフ
Coraux et Coralloïdes	サンゴ
Lithophytes	岩性植物
Amianthe	石綿
Talcs, Gypse, Sélénites	滑石, 石膏, セレナイ
Ardoise	粘板岩
PIERRES	岩石
Pierres figurées	姿石
Crystallisations	結晶
SELS	塩
Vitriols	ミョウバン
MÉTAUX	金属
DEMI-MÉTAUX	半金属
SOUFREES	硫黄
Bitumes	瀝青
TERRES	土地
Terre pâte	土
EAU	水
AIR	空気
FEU	火
Matières plus subtiles	微細物質

図１　ボネ「自然物の階梯」

三中信宏・杉山久仁彦『系統樹曼荼羅――チェイン・ツリー・ネットワーク』NTT 出版、p. 33 より

あります。一番「上」には人類が置かれ、そしてオランウータン、猿などが続き、ヘビやなめくじ、昆虫の後に植物が置かれ、最後には岩石などの物質がはしごの「下」の方に置かれます。単なる順番ではなく、上にあるものの方がまさに「上」であり支配的存在で、下にあるものの方が「下」であり従属的、つまり支配されるべき存在なのです。

この「存在のランキング」の特徴をいくつか述べます。まず、存在のランキングは記述のランキングと違い、特定の側面についての計測値が多い／少ないを表しているわけではなく、何らかの価値観に従ってそれそのものに優劣をつけ、並べています。たとえば握力で言うなら、人間よりもクマの方がよっぽど強いわけで、人間の方が下にくるはずです。あるいは、生態の複雑さで言えば、クラゲはその生涯の間に何度も姿を大きく変化させます。中には幼体に若返ることにより、不老不死だとみなされるクラゲの種類もあるそうです。すると、生き物としてある意味クラゲは人間の上だと言ってもよいでしょう。しかし、ボネがこれで折れて、クラゲをナンバーワンに持ってくることはないでしょう。すると、存在のランキングは客観的な値にもとづいて順番をつけたものではなく、「より価値がある」とか「より人間らしい」といった一種の価値観を表しているに過ぎません。

存在のランキングのもうひとつの特徴は、序列が固定化されている、あるいは少なくとも、めったなことではランクが入れ替わらない点です。毎週の人気曲ランキングは、毎週変わります。しかし、博物学者のボネが「今週はウナギが人間を超えてきたな」などとランキングを変えたことはないでしょう。存在のランキングは世界の秩序、世界の仕組みの一部だとすらみなされてきました。その考え方によると、人間は「本来的に」猿より上で、それが変わることはないのです。

ここにさらにキリスト教的な世界観を組み入れるなら、神や天使が人間のさらに上位の存在として位置づけられ、神や天使に似ているとされる人間は、人間ではない他の生き物を支配する存在なのだ、と言われるでしょう。存在のランキングは、「そういうふうになっている」「それが自然だ」「それが普通だ」という、変わらない世界のあり方を示しているのです。

キリスト教的な世界観を持たなくても、人間の方が他の哺乳動物や植物より価値がある、と思わない人はとても少ないでしょう。ここで、「価値がある」というのは、単に私たちが同じ人間を他の種類の生き物より大事にしがちだ、という事実を述べているだけではなく、客観的にそうなのだ、実際に価値があるのだ、ということを意味します。それは心に染みついた発想ですが、なぜそう言えるのか説明するのは簡単ではありません。人間の何に本来的な価値があるのでしょうか。文化でしょうか。言語でしょうか。どうしてそれにクラゲの生よりも価値があるのでしょうか。私たちは価値があると思う、というのはその通りで、当たり前のことです。しかし、「人間は人間自身や人間の文化に価値を見出すよね」「人間は人間を大事にするよね」以上のことを言うのはとても難しいのです。

いずれにせよ、このように上下関係によって世界を分類するのは、私たちにとってごく当たり前の発想です。もっと分類を細かくして、人間の中にも段階を見出そうとするのも、ごく自然なムーブかもしれません。人間は人間同士にも「種類」を見出して、この種類の人はこの種類の人よりも上だ、下だと考えてきました。その代表例がレイシズム（人種差別主義）であり、セクシズム（性差別主義）です。レイシズムもセクシズムもいろいろな形がありますが、たとえば、「黒人」／「女性」という種類の人間は、「白人」／「男性」という種類の人間より劣っているのだから、「従属的立場」にあって――つまり言うことに従って――当然だ、とする考えや態度はその一種です。

現代の生物学において、「黒人」や「黄色人種」といった、いわゆる「人種」の概念にもとづいた区分は、そもそも科学的に根拠のあるものではありません。たとえもし、特定の人間集団を区分する根拠が十分にあり、その集団の特徴と別の集団の特徴を計測することができたとしても（たとえば、「男性」集団と「女性」集団を、おおまかに区分することができたとして、その二つの集団間では、平均握力が異なっているかもしれません）、それは記述のランキングであって、優劣のランキングではありません。ましてや、存在のランキングは導かれません。

私たちは、人種や性別だけでなく、居住地、出身地、親の仕事や学歴や年収、そういった基準で人々を分類し、この連中は自分たちより上だ、下だと存在のランキングを作成してしまいます。あるいは、それを意識したことがなくても、まるで、そういうランキングを認めるような行動を取ってしまうのです。たとえば、「職業に貴賤《きせん》なし」とさんざん言われているのにもかかわらず、職種によって人に接する態度をがらりと変える人がいます。誰に対してもずーっとぶっきらぼう、とかではなく、市会議員に対してはすごく丁寧なのに、喫茶店の店員さんには当たりが強い、といった人です。一貫しておらず、人によって扱いを変えているのです。

どのように人に接するか、どのように人が取り扱われるのかという「処遇」は、人のランキングについて考えるのに重要な観点です。以下では処遇に関するやや歴史的な議論をしてみます。

6　尊厳としてのランク

現代人にとって、人間の間に存在のランキングをつけるのは悪いことだと言えます。これが悪口が悪くなる根本的な理由です。言い方を変えると、すべての人間は同じランクにある、つまり平等なはずなので、誰かをランクが下の存在として扱うことは良くないことです。

歴史的には、ランクがある、身分がある社会というものがずっと続いてきました。たとえばヨーロッパの国々において、王侯貴族と庶民は、文字通り種類の違う人間であるとみなされ、その種類に応じて、異なる種類の権利が与えられていました。例をあげると、王侯貴族は、国の大事なことを決めるときには意見を聴かれる、という政治に参加する権利を持っていましたが、庶民はそうではありませんでした。

しかし、そうした身分社会は廃止され、誰もが国の憲法といった同じ種類の法律によって、同じように権利が与えられるようになりました。言いかえると、法律的には一種類の人間しかいなくなったわけです。

たとえば、一七世紀のイギリスで、とある伯爵夫人が借金の取り立てのために捕まって牢屋《ろうや》に入れられました。イギリスには、借金を支払うまで入れられる牢屋というものがあったのです。しかしそのとき、裁判所が、伯爵夫人をそのように捕まえることはできないと判決を出して、伯爵夫人は解放されました。判決によると、法律は貴族と庶民を区別しなければならず、借金のために拘束しては、上流階級の人間の尊厳が損なわれるというのです。

みなさんは、伯爵夫人だろうとパン屋の夫人だろうと、借金で牢屋にぶちこむのはちょっとどうか、と思うでしょう。実際、現在の日本でも、イギリスでも、そのような牢獄はもはやありません。誰も、借金のために牢屋に入れられることはないのです。しかし、四〇〇年ほど前には、イギリスの法律は伯爵夫人を守りましたが、パン屋の夫人を守りませんでした。法律が人間の種類、ランクをしっかりと区別していたのです。

現代社会は、四〇〇年前とは違い身分社会ではありません。いや、「身分」はあるわけですが、たったひとつしか身分が残っていない、一種類のランク、最上位のランクしか残っていない社会なのです。かつては王侯貴族が持っていたランクを、今では誰もが持っています。誰もが王侯貴族並みの権利を与えられ、法律によって守られています。あなたを支配する人は誰もいないという意味で、あなたは女王であり、大名であり、バラモンであり、皇帝なのです。

誰もが一番上の立場、最上位のランクを所有しているので、誰も誰かより立場が上ではありませんし、誰も誰かより立場が下ではありません。みんな、とんとん、なのです。私たちは誰もが同じ「尊厳」を持っているということを、このように、同じランクにあるという社会的な関係を使って解釈することができます。尊厳が守られるということは、ランクが下、身分が下の存在としては扱われない、ということを意味するのです。

他の人間をランクが下の存在として扱う例として、囚人への虐待や拷問などが考えられます。アメリカがイラクに攻め込んだとき、アメリカ軍はイスラム教徒であるイラク兵を、イラクにあるアブグレイブという刑務所に多数収容しました。その後、アブグレイブ刑務所でひどい虐待や拷問が行われていたことが報道により明らかにされました。報道のごく一部だけを取りあげても、アブグレイブでは、看守が囚人に服を脱がせ、裸にして地面にはいつくばらせる、体操のピラミッドのようなものを作らせる、軍用犬をけしかけると脅し、実際に噛みつかせる、苦痛で床に倒れている囚人を足で踏みつける、といったことが日常的に行われ、その様子が写真やビデオなどで撮影されました。イスラム教徒である囚人たちにとって、人前で肌をさらすということは非常に屈辱的であり、看守たちはそれを映像で記録することにより、さらに効果的に屈辱感を与えることができると考えていたようです。

このような虐待や拷問は、身体への危害そのものだけでは説明できない残酷さを持っています。単に蹴られることが問題ならば、鋭いパンチやキックをともなう格闘技だって同じくらい残酷になるはずですが、もちろんそんなことはありません。

人間以外の動物のように服を脱がされ、狩の獲物のように犬をけしかけられ、床にはいつくばらされ、そして上から足で踏まれるということは、人間以下の存在として扱われているということなのです。これは非常に屈辱的な扱いです。

日常的な悪口は、これほど残酷な行為ではありません。しかし、悪口がランクを下げる行為である限り、拷問などと同じ方向性を持っています。悪口だけでは、少ししかランクを下げられないかもしれませんが、悪口からエスカレートして、人を見下し、文字通り足で踏みつけるというところまで進むかもしれません。アブグレイブでは、看守が囚人を罵倒し、汚いことばを投げつけていました。悪口やののしりがまったくない拷問というものがあるのでしょうか。悪口には人の尊厳を傷つける力があるのです。

パートIでは、「悪口はどうして悪いのか」という問いを立てて、悪口には必ず比較がともない、誰かが誰かより劣っていると言うことだ、そして、悪口が悪いのは、人を同じランクの人間として扱わないことが悪いからだ、と答えました。誰かを自分より下の存在として扱うことは悪いことで、悪口はそれを実現させるひとつの手段です。だから、人を傷つけるかどうかや、悪意があるかどうかは、あくまで悪口の中心ではなく、オプションのようなものになります。そういうときもあれば、そうでないときもあるのです。

パートⅡ　どこからどこまでが悪口なのか

「悪口とは誰かが誰かより劣っていると言うことで、悪口が悪いのは人を同じランクの人間として扱わないことが悪いからだ」という発想は、言われてみれば単純なものですが、ここから数多くのポイントが導かれます。次に取りあげる疑問「どこからどこまでが悪口なのか」「悪口とそうでないもののラインはどこにあるのか」にも、この発想を当てはめることにより、悪口と、悪口に似たところもある「軽口」や「批判」といった言語への理解を深めていきます。

7　口が悪い

仲の良い二人の人物が、「アホか」とか「ダサい」とか、ふざけて言い合っているところを想像してください。二人は幼なじみで、同じ学校に通い、お互いの家に入りびたり、もう十何年も一緒に過ごしてきたとしましょう。二人の間には、お互い思ったことを言ってもよいとする信頼関係があり、片方が片方に命令ばかりする、片方が片方の言うことを一切聞かない、といった力関係の差もありません。

こうした二人の間でも、「きもっ」などと言うことは、広い意味では「悪口」に含まれるかもしれませんが、単に「口が悪いだけ」とも言えるでしょう。字面上は乱暴なことばを使っていますが、この程度は「軽口」の範囲であって、二人に、絶対に話し方を変えなさいと言いたい人はいないでしょう。

パートⅠでの議論を考えると、どうしてそうなのかよく分かります。パートⅠでは、人を自分よりランクが下の存在として扱うことが悪いのだと確認しました。つまり、単に、汚いことばや乱暴なことばを使うことが悪いわけではないのです。

二人の関係性を踏まえると、きついことばを言い合ったとしても、二人はお互いのランクを下げることができません。つまり、悪い悪口は言っていないのです。ランクが同等であることが自明であるため、少々乱暴なことを言ったくらいでは、ランクを下げることにはつながりません。

裏を返せば、このように長い時間をかけて作った関係性、お互いの人柄や行動への信頼があってはじめて、軽口が成立するのだとも言えます。お互いの立場、お互いのランクの同等さが揺るがないという確信があってこそ、悪くない形でからかったり、揶揄《やゆ》したりできるのです。すると、そのような関係性がないところでは、軽口がひどい悪口へと簡単に変化してしまいます。「いじり」と「いじめ」の境界線をまたぐことは難しくないのです。

お笑い芸人の人たちが、お互いをからかって笑いを取ることがあります。背格好や髪型やふるまいといった見た目、お金や人間関係にまつわる失敗といった恥ずかしい思い出、はてはその人の出身地や家族についてまでも面白おかしく「ネタ」にします。

よく言われるのは、こうしたプロフェッショナルの芸人さんの中には、テレビやラジオなどの表舞台を一歩降りたとき、同じことを、とくに同業者以外から言われるのを非常に嫌う人がいる、ということです。

たとえば、舞台上では「アホ、アホ」と言われることにより、大喝采を浴びている人物も、帰りのエレベーターの中で「アホ」などと絶対に呼ばれたくないかもしれません。同じ立場にある出演者同士から、○○といじられることと、まったく知らない道行く人に、○○と呼ばれることとは、たとえそこでまったく同じ表現が使われていたとしても、意味合いが異なります。ランクの同等さが保証されないとき、どれほど親しみを込めようとも、発言が人をおとしめる、つまりランクを下げる可能性があるのです。あまり簡単にプロの真似ができると考えない方がよいでしょう（大リーガーの真似が簡単にできるとは思わないのに、どうしてプロの学者や芸人の真似が簡単にできると思うのでしょうか）。

黒人の人々に対する差別的単語として、アルファベットの「N」から始まる名詞がいくつかあります。もともと、ラテン語で「黒い」を意味する“niger”から派生してきたことばですが、ヨーロッパの人々が世界中で植民地を作り、そこに住む人たちを支配していく過程で、自分たち「より黒い」人々を指すことばとして使用してきました。

また、アメリカでは、黒人の奴隷に向けてその「N」語を使ってきたという歴史があります。「黒人は道徳的にも能力的にも白人より劣っている」「黒人は支配されるべき存在である」という存在のランキングを思い出させたり、場合によっては復活させようとして使われる非常に差別的なことばであるため、特におおやけの場面では使用が避けられます。ここでも、とくに必要はないため引用しないでおきます。

それほど避けられる単語でありながら、日本ではとりわけゲームやヒップホップの影響でよく知られているように、黒人の若者同士が、その「N」語を非常に気軽に使用します。まるで、「おっすー」「元気？」といった気やすさで、"Hey, what's up, Nxxxxx?"(「調子はどう、N？」)と呼びかけ合います。

これまでに見てきたように、同じことばでも関係性次第で深刻な悪口にも軽口にもなることを踏まえると、これはまったく不思議ではありません。二人の親友や、お笑い芸人同士が「アホか」とののしりあうように、同等のランクにある黒人の若者同士が、お互いを「N」語で呼び合います。誰かのランクを下げる行為どころか、むしろ、われわれは同じランクにいるよな、という確認のための発話となるのです。

その一方で、たとえば東アジア人である私が、唐突にアメリカの黒人青年に対してN語を使うことは受け入れられません。その黒人の若者となんら特別な関係がなく、同等のランクだという保証が一切ないからです。私は冗談のつもりだったのかもしれません。ハリウッド映画の真似をしたかっただけかもしれません。どれほど私が無知で無邪気で無害だということが分かっていたとしても、発言が無礼で差別的であることには変わりありません。「N」語は、黒人を劣った存在として支配するために使われてきたことばであり、そのような存在のランキングを受け入れないならば、「N」語のそのような使用も受け入れられません。

悪口や攻撃的発言の評価には、どのことばを使ったのかということより、どのような立場の人間が、どのような立場の人間に対して言ったのか、ということの方が重要になってくる、というのがこの節のポイントです。口が悪いことと（悪い）悪口は同じではないのです。

悪口を言う側と言われる側の関係にはいろいろなものがありえます。この節では、親友関係や、同じ世代、同じ地域出身といった人間関係を取りあげました。何を言っても、そうした背景がランクの同等さを保ってくれることがあります。次節では、人間関係ではなく、ことばのやりとりの仕方がランクの同等さを保つ例を考えます（また、悪口を言う側と言われる側が同じ人である「自虐」のケースは10節で、言われる側のランクがすごく上のケースは19節で検討します）。

8 お互い様

あることばが悪い悪口ではなく、軽口とか冗談に過ぎない、と考えられるもうひとつの理由は、ひとりが悪口を言ったとき、もうひとりも同じように返している、という相互性があることです。やりとりがイーブン、あいこになっているのです。

これは敬語で話すのかそれとも「タメ語」で話すのか、という判断と似ています。誰かが「さん」づけで話して、もうひとりが呼び捨てだとすると、その二人の立場は同等でないと判断されるでしょう。双方が双方に対して敬語のあるなしを合わせていると、二人の立場が同等だと感じられます。

野球の試合中、ベンチの中で、コーチやマネージャーが大きな手帳のようなものに何か書き込んでいるのを見たことがないでしょうか。あれは「スコアブック」と呼ばれ、試合のスコア、誰が何をしたかという細かな記録を残しているのです。

試合のスコアにはたくさんの情報が含まれています。単にどっちのチームが何点獲得した、とかだけではなく、選手がいつ交代した、何番目のバッターが何球目にファールを打った、といったことまで書かれています。野球場の電光掲示板に載っている数字や記号は、スコア情報の一部だとみなすこともできます。誰がどの守備位置、ヒットが何本、エラーがいくつ、といった基本的な情報が表示されています。

さて、会話にもスコアがあると考えられています。私たちが会話を行うとき、手帳も電光掲示板もありませんが、ある種のスコアを心の中でつけているのです。はっきりとは口に出して説明できないかもしれませんが、どういう順番で誰が何を言ったか、話している人は先輩なのか後輩なのか、話の中の登場人物は誰と誰か、といった情報を覚えているのです。

「会話のスコア」をつけておかないと、次に話されたことをうまく理解することができないので、私たちはかなりしっかりとスコアの情報を把握しながら会話を続けます。たとえば、クラスメートと、自分たちが受けている数学の授業についてずっと話しているとしてください。そのとき、「先生がさあ〜」と誰かが言ったならば、非常に高い確率で、「その数学の授業を担当している先生」を意味しているでしょう。しかし、その会話に今入ってきたばかりの人ならば、どの先生のことか分かりません。「先生」が当てはまる人物など、世の中に掃いて捨てるほどいるからです。

敬語の使用に関する情報も、スコアによって記録されていると考えることができます。ずっと「はい。はい。そうですね、Hさん」と敬語を使っていた人物が、急に「うん。へー。あっそ、H」と返してきたなら、どうしたのか、とびっくりするはずです。ずっと「うん」なら特に何も思わないのですが、急に変化させた場合、スコアの記録と衝突するため、驚いてしまうのです。

悪口はある意味敬語と同じで、悪口によって作られる上下関係の情報もスコアとして残ると考えることができます。一度「アホ」と言われて言い返さなかったら、自分が「アホ」と呼ばれてもよい下の立場の人間、ということになってしまいます。ですので、すぐに「アホ」と言い返し、相手が自分より下の立場だ、ということにすると、それぞれがそれぞれを「自分より下」に置くわけですから、結果はイーブン、同じ立場に落ち着きます。

もちろん、ここで「悪口には同じ悪口で返すべきだ」と提案しているわけではありません。私たちが同じ悪口を返したくなるのは、スコアのつけ方がそうなっているからだ、と説明しているのです。どのように悪口に対応すべきかについてのヒントは、本書の最後に書いています。

「アホー」「アホっていう方がアホなんですー」「アホって言う方がアホってことはアホって言ってるからそっちもアホですー」などと、小学生なら言い合うかもしれません。そのように、きっちり数を勘定して、言われた回数言い返そうとするのは、きわめて子どもじみていますが、大人も執念深くやられたらやり返そうとしますので、いずれにせよ、人間には強い応報感情があるようです。

一九五八年の新聞に面白い記事を見つけました。ペルーの国会議員ロッセル氏が、別の議員ビッソ氏を「無学なヤツ」と罵倒し、怒ったビッソ氏が決闘を申し込み、ロッセル氏も「武器はピストル」と受けて立ったというのです。決闘の日、まず三五メートル間隔の距離から一発ずつ撃ち合い、双方が弾を外したため、次は二五メートル間隔に縮めて打ち合ったが、これもまた外しました。この時点で、どういうわけだか両者は「名誉を回復」し、仲直りをしたそうです。両議員がピストルを構え、狙いを定める姿もしっかりと写真に収められているので、この決闘がどこまで本気なのか、それともマスコミ向けの宣伝なのか、私にはよく分かりませんが、それぞれ同じ数の弾を撃ち合いましたよ、というポーズを取ることが重要だったのでしょう。私たちは、「アホ」というののしりでも、拳銃の弾でも、同じ数だけやりとりを交換することにより、自分のランクを維持しようとするのです。

ところで、アナログな決闘と異なり、デジタル空間の弾数は膨大です。オンライン上でのやりとりでは、こうしたお互い様が成立しなくなっていることが分かります。ソーシャルメディアや掲示板において、芸能人、アスリートやミュージシャンといった著名人についての投稿が無数に存在します。場合によっては、何千件や何万件の悪口が並ぶ訳ですから、「アホ」「アホ」の一対一に持ち込むためには、何千何万回と言い返さなくてはならず、そんなことは不可能です。やりとりの数という意味で、イーブンな関係はありえないわけです。

これは、デジタル世界の特徴が私たちの悪口に与える影響のひとつです（次の9節でも、ソーシャルメディア運営の役割などに触れます）。一般的に、オンライン上での言語使用は、オフライン上でのやりとりを、さらにややこしくしてしまいます。たとえば、ひとつ前の7節では、何を言うかよりも、どういう立場の誰がどういう立場の誰に言うかの方が大事だ、と言いましたが、オンラインでは、一体誰が誰に言っているのかが非常にあいまいになります。場合によっては、本当に独り言をつぶやいているだけのつもりで、誰にも言ってはいないと本人は思っているかもしれません。しかし、内容が何であれ、それを心の中で思うことと、おおやけの場所で言うことは天と地ほどの違いがあります。

オンライン上での言語使用について、ひとつ気をつけるべき点は、先端デジタル機器と、最新ソーシャルメディアを使いこなすからといって、人間と人間の言語がバージョンアップされているわけではないことです。インターネットのない数千年前の人たちと、現在の私たちは遺伝子も同じで、ことばに関して何か根本的に異なるわけではありません（18節では、昔ながらの生活をしている――田舎暮らしとか平成時代とかそういうのじゃなくて、本当に昔、国家やピラミッドすらないような昔です――狩猟採集民と私たちがいかに似たような言語の使い方をしているのかを紹介します）。

私たちには、オンラインのことばも、オフラインと同じように解釈するクセがあります。たとえば、誰かの投稿を拡散する機能を使うことは、五〇〇〇年前にもやっていた、人から聞いたことを繰り返すことと何が違うのでしょうか。移動生活をしていて、「東に進めば水場がある」と聞き、それをたくさんの人に伝えようと、キャンプの真ん中で「東に進めば水場がある」と大声で言うとします。それ聞いた人たちは、「東に進めば水場がある」と思うでしょう。「拡散は必ずしも賛同の意味ではありません」とオンライン時代の特別ルールを導入されても、私たちはそのルールになかなかついていけません。

この節では、やりとりをイーブンにすることにより、ランクを同じにするという話をしました。次の節ではその反対に、ランクを同じにしない、ランクの同等さを崩すやり方をいくつか見ていきましょう。

9　あだ名と悪口ライセンス

権力差をともなう上下関係で身近なものは、部活などの先輩・後輩の関係です。先輩に対して後輩は敬語で話し、後輩に対して先輩はタメ語で話します。そしてそれだけではなく、先輩が後輩に指示を出す、ということが多いでしょう。指示を出すということは、次に誰が何をするか決めているということで、先輩は決められる力を持っています。そして、何かを決める力を持っているということは、権力を持っているということです。

かつて奴隷制度があった時代、奴隷がどこに住み、何を着て、何をしてどれだけ働くかを決めるのは奴隷の持ち主であって、奴隷本人ではありませんでした。部活の先輩や学校の先生や会社の上司が、奴隷所有者ほどの権力を発揮していないとは思いますが（そうだと願います）、練習のメニューや、宿題の提出期限を決める程度の権力は持っています。

さて、誰かをどのように呼ぶかを決める力もそうした権力の一種です。一九世紀のアメリカ合衆国では、南北戦争を通じて、少なくとも表面的には奴隷制度が廃止され、解放された黒人がさまざまな形の自由を得ることになりました。そこで生じたのが、名前の変更です。白人にむりやりつけられた「チャリティ」や「シーザー」のような名前の使用をやめ、「フリーマン」「リバティ」といった自由を強調した名前に変えました。あるいは、子どものあだ名のような「ウィル」（Will）や「スージー」（Susie）ではなく、省略しないより威厳のある形、「ウィリアム」（William）や「スーザン」（Susan）を使い出しました。移動や職業選択の権利などと同じように、呼び名を決める権利を手に入れたわけです。

小学生のあだ名なども、似たようなところがあります。自分で気に入っているあだ名や、自分で決めて広めたニックネームなどならいいわけですが、気に入らない、あるいはものすごく嫌なあだ名をつけられたとすると、日々かなりストレスを感じてしまいます。あだ名についての文句を言えない立場に追いやられているならば、他のことに関しても人に譲ってばかりで、自分の意見を通すことができないでしょう。

たかが呼び名ですが、されど呼び名なのです。呼び方が本当にどうでもよければ、誰も高いお金を払って野球場の命名権を獲得しませんし、校長先生に「おい校長」と呼びかけても、誰も怒ったりしないはずです（14節では、人にラベルを貼ることや、特定の思考パターンに誘導するようなことばづかいについても考えます。また、15節では、一人ひとりの名前ではなく、「日本人」とか「女性」とか、グループをまとめて呼ぶ名前についても検討します）。

右では、あだ名といった呼び方を使って、ランクを操作する方法を確認しました。ですが、奴隷の所有者はともかく、小学生同士で、誰かが特別に権力を持っていると考えるのは無理があると思われたかもしれません。発言の評価に立場やランクが大事だとすると、小学生同士ならたいして差はないから、これまでに見てきたような「口が悪いだけ」や「お互い様」になるのではと疑問が生じるでしょう。

しかし、小学生自身のランクが高くなく、それほど権力を持たないとしても、より高ランクの権力者がライセンスを与える、許可を与えるという形で、暗黙に子どもに権力を渡すことがあります。小学生にとっての権力者は先生です。先生が言い出したあだ名が、子どもに定着するということは考えられます。そんなことは今ではまずないと思いますが、先生が子どもにとっては嫌なあだ名をつけても、子どもは言い返したりできないでしょう。

さて、先生はそんなあだ名をつけないとします。しかし、小学生同士で、嫌なあだ名を使ったとします。そのとき、先生がその様子を見ていたが、何も言わないとすると、そのあだ名で呼んでいいんだ、と小学生は思います。先生がおすみつき、ライセンスを与えたことになるのです。

小学生が授業中モデルガンを取り出して、BB弾を周りに打ち出したら、まず叱られます。「そんなことをしてはいけない」からです。しかし、先生がそれをスルーしたら、「え、これオーケーなんだ」となり、他にもモデルガンを撃ちまくる子どもが出てくるでしょう（こんなに小学校の治安が悪くなければ、「スマホゲーム」と差し替えてください）。

同じように、嫌なあだ名でも、それを大人がスルーしたら、「そのあだ名はオーケー」ということになります。大人は関係ない子どもだけの事情、ではなく、大人が許可を与えるのと同じです。すると、小学生自身は権力者ではないかもしれませんが、先生の権力から派生する形で、小学生自身もある意味あだ名をつける権力を持つことになるわけです。

悪口でも同じことです。子ども同士は同じランクなので、片方が権力者でもう片方のランクを簡単に下げられる、というわけにはいかないかもしれません。しかし、「Iはきもい」などの発言を、周りが、特に先生や保護者がスルーするならば、「Iについてそれは言ってもよい」という暗黙の許可が与えられてしまいます。許可は一種のルールです。ルールを決められる人は権力者です。ですので、結局、子どもも間接的には権力者になれるのです。

オンライン上で何気なく誹謗中傷《ひぼうちゅうしょう》を書き込む人も、自分をランクが上の権力者だとは思っていないでしょう。むしろ、目立っている著名人と比べて、自分は弱者《アンダードッグ》であり、発言に大した効果があるはずがない、と思っているかもしれません。しかし、誹謗中傷が完全にスルーされてしまうなら、それは「やってもいい」というルールを作り出し、間接的にですが権力を持つことがあります。

先生が介入すべきところは介入すべきように、ソーシャルメディアの運営側や、政治家などが、「それは言ってはいけない」とはっきりと示すことには大きな意義があります。ソーシャルメディアを使う私たち大人も、残念ながら、小学生と同じようなところがあるからです。周りの様子をうかがい、「これがオーケーなら私もやりまーす」と誹謗中傷などを書き込んでしまいますので、ある程度のルールが示される必要があるでしょう。

10 自虐

これまで、他人について何かを言うケースばかりを見てきましたが、ここでは、自分に向かって悪口を言う場合を考えます。

まったく同じものでも、状況によってその意義が大きく変わる、ということを私たちはよく知っています。同じ一〇〇〇円でも、住宅ローンの支払いにため息をついているようなおじさんと（だーれだ？）、駄菓子屋でお菓子を選んでいる小学校一年生とではその価値が全然違います。

まったく同じ行動でも、人からやるように命令されてするのと、自分から進んでするのとでは大違いです。同じ一〇キロのランニングでも、学校のマラソン大会でいやいや走らされるときもあれば、わざわざ参加費を払って走るときもあります。

ことばに関してだけ、いつでもどこでも誰が誰に言っても、同じ表現なら同じ価値だと考えるのは無茶な話です。たとえば、中年になってきたおじさんが自分で「いやあ最近めっきり老けてきて〜」とか「おでこが広くなってきて〜」などとへりくだって言うことと、「ほんま老けたな！」などと言われることとは全然違います（ここはいわゆる「そんなことないよ待ち」ですから、気をつかってね！）。まったく同じことばやあだ名でも、本人が使うのと、人が使うのとではその重みが変わってきます。

自虐的なことを言う、自分で自分の悪口を言う、ということには複数の側面がありますが、これもランキングの発想で理解することができます。まず最初に、どうして今見たように、自虐の方が「マシ」に聞こえるのか、という点を考えてみましょう。

悪口は標的を自分より下げる役割があります。自虐の場合、自分が標的となっているため、これをそのまま当てはめると、自分を自分より下げる、という論理的に不可能なことをやろうとしていることになります。自分の身長は自分の身長より低くも高くもありません。自分のランクは自分のランクと同等で、そこにランクの差を作ることはできません。そのため、自分が自分に言う分には、簡単にランクを下げることができません。

一方で、人から言われる場合は違います。その人と比べて、自分のランクが下がってしまうかもしれません。自分で自分のことを言うのはいいが、人から同じことを言われるのは嫌だ、というのは別にわがままなわけではなく、ランキングの仕組みから導かれる結果です。

ですので、自虐が使いやすいのは間違いないでしょう。パートⅢで見るように、悪口は笑いにつながる側面もありますので、自虐ならば自分をダシにして笑いを取ることができます。遊園地などが「ガラガラに空いてていいよ！」といった「自虐ＣＭ」を打ち出すのも納得できます。

自虐だったら何でもあり、発言が不適切になることはない、というわけではもちろんありません。どうして、ときに自虐が「やりすぎ」に見えるのでしょうか。

やりすぎでない自虐は、「自虐」と呼ぶよりはむしろ「謙遜」とか「慎み深さ」と呼ぶ方がよいかもしれません。後の19節でも確認しますが、強い立場にある人間をたしなめるために、悪口を言うことがあります。権力が強すぎるからこそ、それを少しでも減らすためにディスるのです。そのディスを自らに向けるということは、自分は危険な権力者ではない、えらそうなことはしない、ボスとしてふるまったりしない、あなたと平等ですよ、ということを伝えるシグナルになります。

自虐はつまり、「つまらないものですが」とお土産を渡すようなふるまいと言えます。「つまらないものですが」と謙虚にふるまうことは、「お前を支配してやる」といった態度と正反対になるため、自虐も同じように頻繁に使われると思われます。「つまらないものですが」と言われたら、「何これ？　マジつまらないやん」と内心思ったとしても、「これはこれは、わざわざどうも。こんな立派なものをどうもありがとうございます」と返すのが大人です。このように、どちらもへりくだることによって、私たちは平等です、どちらが上でも下でもないですよというメッセージを送り合います。「バカ」と言われて「バカ」と返すように、謙遜には謙遜で応答することにより、立場の同等さが確保されます。

するとその平等さを崩すほどへりくだることが、自虐のやりすぎ、ということになります。「わたしアホやから、テスト難しかったわ」「いや、今回まじ難しかったで～できた人いないいんちゃう」くらいのやりとりで終わらずに、「いや、ほんまにわたし頭悪いから。まじで。めっちゃ悪いから。そこんとこ分かって」などと詰め出したりすると、この人は大丈夫だろうか、と心配になってしまいます。

もうひとつ重要なのは、誰もが何らかの集団を代表しており、自虐が集団全体をおとしめてしまうかもしれない、という点です。「代表」ということばは「アルゼンチン代表選手」のように、国を背負う、といったたいそうなニュアンスもありますが、私たちはいつも何かの「代表例」となっていることは間違いありません。たとえば私がアメリカの地方都市で開かれる学会に出席するとき、哲学学会ではよくあることですが、私がそこで唯一の日本から来た出席者となる場合があります。すると、世間話をしていても、私が日本に住んでいる人たちを代表して、日本のことについて話すことになります。私があまりにへりくだってしまっては、日本について不正確で歪んだ内容を伝えてしまうでしょう。

他にも、自分が男性なら「男は結局たよんないからさあ」などとざっくりと自虐的に言い切ることはよくあると思います。男性が「女は結局〜」と言うよりはよっぽどよいですが、自分の世代についてでも、容姿についてでも、出身地についてでも、過度な自虐は、同じ属性を持った人々をまとめておとしめてしまうことになりかねませんので、何事もほどほどがよいと思われます。

11　褒めながら悪口

繰り返しですが、悪口は比較をして誰かが劣っていると言うことなので、特定のことばを使わなければならないという条件はありません。すると、たとえポジティブなことばを使っていても、誰かを自分よりランクが下だと実質的に言うことができれば、それは悪口になります。

皮肉はその代表的な例です。「皮肉」や「アイロニー」と呼ばれるものにはさまざまな発言や事態が含まれますが、単純なものは、周りから見て明らかに間違っている、真逆なことをわざと言うような例でしょう。たとえば、どっからどう見ても汚い字を書く人に、「とても字がお上手ですね」と褒めることは皮肉です。ちなみに、著者は母親から、「ゆうさんはほんとに字が上手やねえ」と言われて育ちましたが、これはどっちですか。

私たちの発言には、文字通りの意味の他に、発言した人が伝えようと思った意味があります。そのような内容は「話者の意味」と呼ばれます。

文字通りの意味と話者の意味がまったく同じか、それほど変わらないときもありますが、文字通りの意味と話者の意味がまったく異なることも、普段の会話でよくあります。

たとえば、「今何時か分かる？」と聞かれたら、みなさんは「えーっと、十時二分前かな」などと時刻を教えると思います。しかし、文字通りの質問に答えるために、時刻を言う必要はありません。「あなたは分かるか？」と聞かれているのですから、「はい」か「いいえ」で答えて、分かるか分からないかを伝えれば、十分に質問に答えたことになります。「今の時刻を私に教えてください」とは言われていないのです。実際、「今何時か分かる？」や「今日は何曜日か分かる？」を文字通りの意味で聞くこともあります。たとえば、ころんで頭をぶつけた人に、意識がはっきりしているか確認しているだけかもしれません。「あ、はい、分かります。大丈夫です」と答えてもらえれば、それで十分な場合もあるのです。

さて、自分が皮肉を言っていることをはっきりさせたいときは、普段の喋り方とちょっと変えた言い方をします。たとえば、サッカーが苦手な人に向かって、「え、めっっちゃサッカーうまいですやん！」とわざとらしく言うようなことです。発音を強調したり、身振り手振りを大げさにしたり、とにかく普通に言っているのではない、ということを別のやり方で伝えます。そうすると、言われた側は、本当にそう思っているのなら、普通の言い方で発言したはずだから、普通の言い方をしていないということは、文字通りではない話者の意味があるのだな、と考えることができます。そして、文字通りでないメッセージはなんだろうか、ああ、バカにされているんだな、とすぐに伝わります。

このように、話者の意味を使って悪口を言っていることがすぐ分かる発言もあれば、悪口かどうかよく分からない、おそらくは誰にも決められない微妙な発言もあるでしょう。「〜っていいなあ」などはその一例です。「〜さんは悩みがなくていいですね！」「学生は時間があっていいなあ」「田舎はごちゃごちゃしてなくていいなあ！」「文系は課題が少なくていいよな！」などと、皮肉でもなんでもなく、素直に言われることがあるでしょう。そして場合によっては、かなりイラッとした経験はないでしょうか。しかし、「いい」と言っているのですから、けなすよりむしろ褒めています。誰かが劣っていると言っているわけではないので、悪口になりようがないと思われるかもしれません。

このような事例を理解する際も、本書の考え方が役に立ちます。

こうした「褒め」が悪口につながるのにはいくつか理由があります。ひとつは、発言の解釈にやはり優劣の比較が入り込み、悪口として理解される可能性があるということです。「悩みがない」というのはもちろん良いことでもありますが、「私に比べて精神的な複雑さの度合いが低い、精神的により未熟だ」という比較を述べているとも解釈できます。「私も悩みがないんだ」とは言っていないからです。

存在のランキングを思い出してください。昔から、人間が他の動物より「上」だと考える大きな根拠は、人間が持つ精神的な能力の高さだとされてきました。腕力ならクマの方が強いが、計算をしたり詩を書いたりできるのは人間だ、というわけです（そしてなぜか後者の方が偉いとされています）。人間が人間に対して持つ偏見にも、知的な能力や道徳性などがより低いとみなす、というものがあります。たとえば、人種差別的な偏見の典型例として、その差別の対象となっている人々は、感情がより単純であるとか、善悪の区別が理解できないといったものがあります。

「悩みがなくていいいね」も、精神的成熟度についてのランキングの中で、人が下に位置づけられたと理解されるかもしれません。自分とは違って、何かが、「単純でいい」「簡単でいい」「楽でいい」などとするのは、知的な能力の優劣、社会的な重要さの優劣のランキングについて、暗に述べているのかもしれません。そうすると、表面的に「いい」とは言いながら、ランク上で劣っているとも言っているわけですから、悪口とみなされるわけです。

こうした発言が悪口になりうるもうひとつの理由は、尊敬に関わります。アメリカの哲学者ハリー・フランクファートは、人を尊敬することは、その人と他の人とを平等に扱うことと実は関係がない、という一見驚くべき主張をします。フランクファートによると、尊敬するためには、その人の個別の事情、その人個人の特徴や状況にきちんと注意を払って、その人にとって必要なことを考えないといけません。単に平等の扱いにするだけでは、その個別の事情を汲み取ることができない場合があります。そうすると、その人物を尊敬しているとは言えないのです。たとえば、車椅子の利用者に、「ここはみんな平等に歩くところだから」と言って、階段を上るのを手伝わなかったら、それはその人物に敬意を払っているとは言えないでしょう。

さて、「若者はいいね」や「田舎はいいね」などは、一種の決めつけに聞こえてイラッとします。これらが決めつけであるのは、それぞれの事情に注意を払っていないからです。それぞれの人間は果てしなく複雑で、本人にしか分からない個別の事情や苦労が存在します。私たちはそれをわざわざ他人に一から十まで説明したりしません。それにもかかわらず、たったひとつの特徴を取りあげられて、それによって他の苦労がなくなるかのように言われたら、「私はあなたの他のところを見ていませんし、見る気もありません」と宣言されているようなものです。それは誰かを尊重した態度とは言えないわけで、多少イラついてしまうこともあるでしょう。

この節では褒めることですら悪口になりえることを確認しました。汚いことばを使うことが悪口なのではなく、比較して優劣を表明することが悪口なので、表面的に相手を褒めていたとしても、間接的に優劣を表現する限りにおいて、発言が悪口になるのです。

以上から導かれるひとつの怖い帰結は、何だって悪口に聞こえてしまう可能性があることです。もし存在のランキングにとらわれて、優劣ばかりが気になり、人と自分をいつでもどこでも比較して暮らしているとすると、仕事や家族についての世間話ですら、自分が劣っていると言われたとねじれて解釈してしまうかもしれません。

根本的な解決策としては、私たちみんなが優劣の序列関係から解放されることが必要なわけですが、やたらめったら悪口を言っていると誤解されたくない人は、世間話のトピックに少し気をつかってもいいでしょう。お金のことやら家族構成やら、ゴシップに頼らなくても楽しい世間話ができるくらいの教養は持ちたいものです。

12 まっとうな非難

「非難」や「批判」ということばは、世間的にはあまり評判が良くないようです。しかし、それは適切な非難と、誹謗や難癖といったことばによる攻撃とをはっきり区別することに失敗しているからだと私は思います。ここでは、その区別をつけてみましょう。

私たちはすでに悪口一般を特徴づけることに成功しました。誹謗や罵倒、あるいは陰口や中傷などは、細かい条件が異なる、悪口一般の変種として理解することができます。たとえば、「陰口」は基本的に悪口と同じで、誰かについて劣っている、ランクが下だと言うことですが、「言う側は、標的自身が発言を聞いていないと思っている」という条件を追加する必要があります。「陰」で言わなければ（あるいは少なくともそう思っていなければ）、「陰口」にはなりようがないからです。

非難をするとき、誰かに非がある、良くないところがあると指摘することになるため、悪口のように優劣を示してしまう、と思われるかもしれません。しかし、適切な非難は単に人の劣ったところを指摘するものではないのです。

適切な非難は、「後ろ向き」(backward looking)であると同時に「前向き」(forward looking)である、と言われます。まず、後ろ向きであるのは、過去に行った悪いことを指摘するからです。あなたはこういう良くないことをしました、していますと、できれば理由も言いつつ示します。

非難が前向き、つまり未来志向であるのは、今後どうしたらよいのか、どうすべきなのかの指針も提示して、非難の対象に、これまでのふるまいを反省して、これから変わっていく機会をも与えるからです。一種の教育の可能性を持っているため、非難は前向きであると言えます。

単なる罵倒や悪口なら、前向きな面を持つ必要がありません。標的をコミュニティの中で下位に置いて、自分の道具として利用したり、あるいはそもそも同じコミュニティから排除することが目的だからです。その人が反省しようと反省しまいと、まったく問題ではありません。出て行ってもらうだけだからです。

適切な非難は異なります。非難の相手を同じ立場の存在だと考えているならば、これからもずっと同じ立場で、同じコミュニティの中で、仲良くなくてもつき合っていかなければならない人物とみなしています。それならば、もし良くないふるまいをしてきたならば、それはやめてもらい、これまでの行いを反省して、今後はそうしないようにしてもらわなければなりません。ですので、こうした方がよいですよ、そうしたら歓迎しますよ、という態度を表明しなくてはなりません。

適切な非難や批判を自分への誹謗中傷だととらえてしまう人は、非難の前向きな側面が見えていないからだと思われます。非難の後ろ向きな部分だけなら、確かに悪口や誹謗とそれほど違いはないかもしれません。いかに間違ったことをしたか、いかに正しくないのか、という指摘は、そうでない人との比較を含めると、自分が劣っていると言われていることになるからです。

見方を変えれば、不適切な非難や、意味のない叱責のようなものは、前向きの要素が少なすぎるということになります。今後どうすればよいのかの行動指針がはっきりと示されていなかったり、あなたは同じランクの仲間であり、批判を受け入れ、反省して変化していってほしい、というメッセージがまったく伝わらないような場合は、単に叱りたいから叱っていると解釈されてしまうでしょう。人間の応報感情、「目には目を！」「やられたらやり返す！」という感情を満たすためだけに、ぶん殴る代わりにどなっているのだろう、と思われてしまいます。

しっかりと悪いところを指摘するという後ろ向きの部分と、教育の機会を与える前向きの部分と、そのバランスをうまく取るのは非常に難しい作業で、私自身ももちろんうまくできるわけではありません。しかし、そのバランスを取ることをあきらめては、私たちはお互いを高め合うということが一切できなくなります。

同じ社会に住んでいる人間同士は、まっとうな非難や批判をやりとりすることにより、お互い何を大事にしているかを理解し、成長することができます。もし意見が違っても、落とし所が見つかるかもしれません。それぞれがそれぞれを気に入らなければ、追い出したり殺したりして、社会から排除するというのでしょうか。そんなわけにはいきません。どこにも追い出す先はありません。同じ時空に暮らしている人間同士、なんとかやりくりして、一緒に暮らしていかなければならないのです。

13　悪口の文法

これまでは、ランクや人の関係性に焦点を当ててきましたが、ここから言語の特徴そのものに注目して、いろいろな悪口を考えてみます。まずは単語をいくつか取りあげましょう。

「〜い」で終わる「きもい」「うざい」などは形容詞と呼ばれる表現で、人やものの特徴を述べるための修飾語や述語となります。「きもい服」なら、「服」という名詞を修飾し、「こいつはきもい」なら、「こいつ」で指されている人物を「きもい」と述べています。

「あほ」「バカ」「まぬけ」なども形容詞の一種で（学校文法では「形容動詞」と呼ばれます）、「あほな人」「バカな行為」「あいつはまぬけだ」のように、修飾語や述語として使われます。「〜い」系の形容詞と異なるのは、「な」を使って名詞とつながることと、文末に「だ」などが必要になることです。

「嘘《うそ》つき」「老害」「バイキン」などは名詞で、特定の人やものを指すための「指示表現」として使われるときもあれば、述語としても使われます。たとえば、「あの嘘つきが〜」は指示表現の働きをして、「あいつは嘘つきだ」は誰かを特徴づける述語の働きをします。

こういった単語の組み合わせ方にはいろいろ種類があります。まずは「平叙文」と呼ばれる「JがKだ」「JはKした」というような文の形を考えましょう。このようにシンプルな文でも、「Jが／は」といった主語の部分と、「Kだ／した」といった述語の部分と、二つの部分によって文が作られています。二つの部分があり、それぞれで悪口が言えるということは、悪口を言うチャンスが最低二回あるわけです。

述語の部分だけ悪いことを言っているかもしれません。「あの方は嘘つきだ」のように、ある人物を丁寧に取りあげつつ、ディスることができます。主語の「あの方は」のところだけなら、悪口ではないでしょう。

一方「あの方は」ではなく「あいつは」「こいつが」「Lの老害クソやろうは」のように、人をどのように呼ぶかを変えることにより、否定的態度を表すことができます。主語と述語の部分どちらもまんべんなく悪口を言えば、「あのマックスうざいあほMがまた邪魔しやがった」のように、かなり乱暴な言い方をすることができます。

ここで、動詞「邪魔する」が「邪魔しやがる」に変化をしている点も指摘しておきます。「〜しやがる」「〜しちまう」や、関西方言では「〜しよる」のように、動詞の形でも否定的な態度を表すことができます。

こうした表現はいわゆる「敬語」の逆方向の働きをすると考えられます。敬語は誰かを高める、持ち上げるためのことばです。「やがる」や「あのクソやろう」は誰かをおとしめる、下げることばです。ですので、文全体である程度はバランスを取らないと、ちぐはぐな発言になって、変な日本語に聞こえます。

主語と述語の片方だけが人物を上げる、あるいは下げるとき、言っていることが冗談に聞こえるのです。これは、発言を文字通り解釈すると、ランクの上下関係が理解できなくなるので、話者がふざけていると解釈するからだと思われます。「あの老害和泉のクソやろうが教室においでになられました」「超絶尊敬する和泉さまがのこのこ教室にあほヅラ下げて来やがった」などは、どちらも、少なくとも言っている人がふざけている（ふざけながら悪口を言っている）ように聞こえます。

続いて、「帰れ」「どっか行けよ」「黙りなさい」といった「命令文」を見てみましょう。命令できる人は立場が上で、権力を持っています。軍隊の戦闘やスポーツの試合といった特別な状況で、誰が指示を出して誰が指示を受け取るのかがはっきりしているとき、命令文はごく自然に使われます。「あっちにパスを出せ！」と監督が選手に指示をすることがあります。

一方、日常の場面で、駅を歩いているようなとき、お願いや依頼をすることができても、命令はできません。街行く人はみんな立場が同じだからです。わたしたちは道に迷ったとき、道を「教えてください」「教えてくれませんか」「教えてほしいんですが」「もし教えていただけると大変ありがたいんですが」のように、回りくどく述べ、「教えろ」とは言いません。そのようにぞんざいに言う人がいたら、「何様?!」とびっくりすると思います。

ですので、自分が立場が上だと示すための悪口で、命令文が使われるのはよく理解できます。命令するということは、自分の権力を示すことであり、相手には命令される側だぞと分からせることなのです。

最後に、「お前はアホか?!」「どうしてこんなこともできないの?」といった「疑問文」について考えます。疑問文は文末が「か」や「の」で終わったり、お尻上がりの発音をします。例からも分かるように、疑問文を使うからといって、本当に質問しているとは限りません。「お前はアホか?!」で、誰かがアホかどうか真剣に質問するのはアホでしょう。

文の型と、文を使って行われる行為の種類は必ずしも同じではありません。そのような例はすでに取りあげました。「何時か分かる?」と疑問文で聞いたとき、それは時間を教えてくださいというお願いを行っているのであって、「その人が分かるかどうか」という疑問に答えてほしいわけではないのです。同じように、疑問文を使って、結局、「あなたはアホだ」という平叙文と同じような悪口を言うことができます。

命令と異なり、質問はどのような立場の人も行いますので、疑問文を使った悪口はより分かりにくいところがあり、いくつか指摘すべき点があります。

「なぜ」「どうして」といった理由をたずねる疑問文は、「どうして」などに続く部分で触れられている事柄が「事実だ」「すでに成立している」ということを前提とします。たとえば、「どうして太陽は東から昇るの?」と聞くことはできますが、「どうして地球は平らなの?」と聞くことはできません。そもそも地球は平らではないからです。「どうして」を使わない疑問文なら、「地球は平らなの?」のように聞くことができます。聞いているだけですから、「地球が平らだ」とは前提しているわけではありません。

つまり、「なぜ」「どうして」を使うことによって、まるでそれに続く事柄が事実であるかのように話すことができるのです。たとえば「どうしてあなたは一生懸命やらないんだ」と言う人の中では、その「あなた」が「一生懸命やらない」ということが決めつけられており、当たりまえの事実として前提されています。「なぜなら〜」とどれほど丁寧に理由を説明しても、そもそも一生懸命でない、ということは認めたことになってしまいます。このように、あからさまな悪口を言わなくても、疑問文を使うことによって、陰湿なやり方で人の評判を下げることができます。

ところで、疑問文を利用したことばによる迷惑行為に、シーライオニング(sealioning)というものがあります。話をこれ以上続けたくない人に向かって、わざと嫌がらせのために、「あなたの言っていることの一言一句について、私が納得できる証拠を示していただけませんか？」「私のどこが間違っているかまず証明してくださいますか？」のような、ことばづかいはとても丁寧だけれども、むちゃな質問を繰り返すしぐさのことです。「シーライオン」はアシカのことで、由来となるウェブ上のコミックで、質問をするキャラクターがアシカだったため、そのような名前がつきました。別に、アシカが本当にそんなことをするわけではありません。

話を聞かない、無視をするというのは人を尊重しない行為だと11節で述べました。実際私たちには、お互いにちゃんと話を聞くべきだという常識があります。シーライオンニングは、その常識のバグをつくようなふるまいです。つまり、表面的にでも冷静に、穏やかに疑問を投げかけるなら、そこに何ら意義がなくても、いくらでも永遠に話し合いは続けられるべきで、そこで質問に答えてくれないならば、私はないがしろにされている、と被害者のふりができてしまうのです。

しかし、実際にシーライオニングがされるような状況では、それなりに議論がなされ、質問にも答えてもらっています。その答えをちゃんと受け止めず、わざと質問を繰り返したり、普段ではありえない水準の証拠を要求したり、関係ない事柄を取りあげて話を逸らしたりすることは、まさに「人の話を聞かない」「無視をする」行為そのものになります。「人を無視をするのはいけない」という常識を利用しながら、人を無視するわけですので、シーライオニングは悪口ではないかもしれませんが、かなり陰湿な行為であるとも言えます。

14　ラベルを貼ること

名詞についてはもっと言うことがあります。誰かが「ダンスした」と動詞を使って表現することと、「ダンサーだ」と名詞を使って表現することには大きな違いがあります。「ダンスした」だけなら、たまたま踊ったのかもしれませんが、「ダンサーだ」なら、ダンスを仕事にしている、ダンスを長いこと習っている、元々ダンスに向いている、といったニュアンスが出てきます。

名詞を使うことには、すぐには変わらない、長い間当てはまるような特徴だ、という意味合いがあるのです。野球を知っている人にとって、「右手で投げた」と「右投げ」はまったく意味合いが違います。同じように、誰かがたまたま「嘘をついた」「間違ったことを言った」と言うことと、「嘘つき」「詐欺師」などと名詞を使って、それがずっと当てはまると言うことには大きな違いがあります。

ですので、誰かを名詞でラベルづけする際には注意が必要です。英語圏の例で考えてみましょう。英語では、形容詞の前に定冠詞"the"を加えることにより、人々を指す名詞的表現が作れます。たとえば"the rich"は「お金持ち」を意味します。同じように、"the disabled"や"the handicapped"は名詞的に使われ、「障がい者」のような意味を持っています。これらの表現は、あからさまに差別的な表現の代わりとして使われてきました。しかし、現在では、「障がい」は単なる個人の特徴ではなく、社会の仕組みや制度によって引き起こされているという、「障がいの社会モデル」という考え方が広まった結果、"the handicapped"などもふさわしい表現ではないとみなされます。

代わりに、名詞を作らずに、"persons with disabilities"のように呼ばれるのです。"with 〜"ということは、それは取り外しのできる特徴だということになります。たとえば、私はメガネをかけているので、"a person with glasses"です。でも、メガネは、私の変わらない本質的な特徴などではなく、取り外しができます。同じように、困難や不便はその人の変わらない特徴ではないわけで（それが困難になるような社会の仕組みの方が問題なので）、"with 〜"によって表す方が正確だ、というわけです。ですので、障がいの社会モデルを受け入れるなら、日本語でも、多少表現が長くなりますが、「〜のある人」「～を必要とする人」などといった修飾表現を用いて障がいのある人について語った方がよいわけです。

もちろん、9節で見たように、人の呼び方は周りの人間が決めることではなく、本人の好みに従うべきことです。自分で選択した表現が優先されるべきなのは、言うまでもありません。

他にも大事なのは、ことばは他のことばとつながっている、ということです。「本」は普通「読む」もので、「見る」ものではありません。しかし、その本が「骨董品」や博物館の「収蔵品」ならば、「見」てもおかしくありません。ラベルの貼り方によって、私たちがそれをどうみなすのか、どう取り扱うのかが変わっていくのです。

議論や話し合いを「戦い」や「戦争」として語るなら、議論には「勝ち」「負け」があり、相手の主張を「攻撃」し、自分の立場を「死守」して、相手を「言い負かして」、論じて「破る」(「論破する」)ものになります。しかし、議論や話し合いが、むしろ「建築」のようなものなら、一緒に作業を分担して、助け合って、お互いのためになるよい建物を作ることができるでしょう。

誰かを「ゴミ」とか「バイキン」と呼ぶのも同じことです。「ゴミ」は「捨てる」ものので、「バイキン」は「取り除く」「やっつける」ものです。「ゴミ」と「仲間」になったり、「バイキン」と「遊ぶ」ようなことはできません。どのようなことばから出発するかで、私たちができることの数が限られます。ラベルの貼り方には大きな意味があるのです。

15　差別語と侮蔑語

本書における大事なメッセージの一つは、悪いのは人のランクを下げることなのだから、特定の単語や表現がいつでもどこでもダメとか、いつでもどこでもアリとか、そういうことではない、というものです。とはいえ、どのことばもすべて一緒というわけではなく、使っても大丈夫な例外がかなり少ない「差別語」と、例外がそれなりにある「侮蔑語」に分けることができます。

今までさんざん「あほ」など口の悪いことばを使ってきましたが、どれも侮蔑語に含まれます。差別語の代表は、7節で触れた、「黒人」を意味するN語になります。ひとつだけはっきりと差別語の具体例を出すと、英語には日本人や日系人を意味する"Jap"という単語があります。それに対応する中立的な単語は"Japanese"で、単に短くしただけのように見えますが、前者は差別語で、後者はただの一般名詞です。

差別は常に歴史が関わります。歴史的背景なしに、差別を理解することはできません。

差別語も同じことです。"Jap"は一見、"Japanese"を省略しただけのことばです。実際、たとえば一九世紀のアメリカでは、「日本製の絹」という意味で、"Jap silk"というフレーズが商品カタログに載っていました。しかし、二〇世紀には、差別的な意味合いで使われるようになり、特に日本がハワイの米軍基地を急襲し、太平洋戦争が起こった後は、「裏切り者」「卑怯者《ひきょうもの》」といった意味合いも持つようになりました。

太平洋戦争中のアメリカでは、日系アメリカ人たちが"Jap"とののしられ、家を焼かれる、強制収容所に送られるなどのひどい扱いを受けました。誰かを、特定のグループに含まれているという理由だけで、無理やり移住させることは、言うまでもなく差別であり、残酷な行為です。

差別は、人間をグループに分け、(記述ではなく)存在のランキングの中で序列化することです。ですので、「差別」は私たちの行為や態度を意味するときもあれば、社会の制度や仕組みを意味するときもあります。いずれにせよ、差別には、とあるグループが劣っている、より価値が少ない、という序列が反映されています。

"Jap"は、特定のグループに対する差別と抑圧の歴史を背負っている単語だから差別語です。誰かが、「"Jap"は"Japanese"を省略しただけだな」と個人的に思っていたとしても、差別語でなくなることはありません。誰かが尊敬語の「いらっしゃる」と謙譲語の「まいる」をごっちゃにして覚えていたとしても、「いらっしゃる」が謙譲語になることはありません。一人の個人的な感覚では、ことばの意味を変えられないのです。

"Jap"と"Japanese"のペアと同じように、「チビ」や「のっぽ」といった名詞も、「背が低い人」や「背が高い人」のような対応する中立的表現があります。何の理由もなくわざわざ「のっぽ」を使うということは、無礼であり、人をあなどっており、侮蔑的と言えます。しかし、「のっぽ」は侮蔑語であって差別語ではありません。背の高い人が背の高いことを理由にして強制収容所に送られてきた、といった抑圧の歴史や現在の習慣がないからです。

9節では、あだ名といった特定の呼び方によりランキングを確立する、という点を見ました。不本意なあだ名で呼ぶことと、特定のグループの人々を不本意な名詞で勝手に呼称するのは似ています。それにより、力関係をはっきりさせるのです。本当に呼び方だけで終わるなら、呼び方自体はどうでもいいかもしれませんが、呼び方だけで終わるはずがありません。差別語で呼んでもいいならば、自分たち以下の存在なのだから、差別的に扱ってもいい、制度に不公平があってもいい、とどんどんエスカレートしていきます。

特定のグループを差別語で呼称する、「人間以下」の虫やバイキンになぞらえる、過度に暴力的だとか、性的だとか、不潔だとか、とにかく自分たちより劣っているというステレオタイプを広める、そういうことばによる過激な暴力は、しばしば重なりあって存在します。差別語を使ってそれだけ、というのは、7節で示した、黒人に向けられたN語を黒人の若者が自ら使うような、「奪取」(appropriation)のケースばかりです。

また、過激なことばの暴力を重ねた先に、実際の物理的な暴力が待っていて、たくさんの人が殺されてしまった例も少なくありません。差別語が積極的に避けられるのには理由があるのです。

そういうわけでわざわざ文字にしませんが、世の中には実にたくさんの差別語が存在します。日本語も例外ではありません。それだけたくさんの差別が世の中に——日本の中にも——あるということです。人種や性別や宗教にまつわる差別語、生まれや出身にまつわる差別語、性的少数者に対する差別語、障がいを持った人に対する差別語、などなどです。当のグループの人たちが仲間意識を育てるためにそれを使用する、差別の存在を指摘するために引用するといったことは考えられますが、差別語の無意味な使用は、存在のランキングの維持と強化につながります。差別語と侮蔑語の区別があたかもないかのようにふるまうのは、差別があたかもないかのようにふるまうことなのです。

パートⅡでは、「どこからどこまでが悪口なのか」という問いに答えるために、軽口や自虐、あだ名や批判、言語学的ことばの分類などについて考えました。たくさんの観点があるので、たったひとつの定義で何も考えずにすべて線引きができる、といった単純なものではないですが、それでも、悪口の解像度がかなり上がってきたと思います。結局、誰かをランクが下の存在として扱うかどうかが基準になり、乱暴なことばだからダメとか、丁寧だからアリではないのです。次のパートではさらに目線を変えて、悪口の「面白さ」について考えていきます。

パートⅢ　悪口はどうして面白いのか

ここからは、「悪口はどうして面白いのか」「なぜ悪口を言うのは楽しいのか」という問いを中心にしていきます。「何言ってるんだ。悪口を言うのは嫌いだし、言っている人を見ても気分が悪い。ぜんぜん面白くない」と思われた人もいるかもしれません。確かにその通りで、人を支配する悪口が面白いはずがありませんし、悪口を言うのも言われるのも嫌だ、という気持ちも理解できます。意外かもしれませんが、私も普段は悪口をあまり言いません（ほんとですよ?）。しかし、悪口がいつでもどこでも、誰にとっても、本当に気分が悪くつまらないものだったとすると、こんなにもしょっちゅう悪口が言われるはずがありません。少なくとも「ときどき」は、特に言う人にとって、悪口には楽しくて面白い側面があるのです。以下では、それは一体なんなのか考えていきます。

16　笑いと悪口

ここで役に立つのが、面白さ、おかしさ、笑いの研究です。人間はどうして笑うのか、おかしさはどう定義されるのか、そうした問いに取り組む研究がたくさんあります。笑い研究で分かったことから、悪口にアプローチしてみます。

笑いを説明しようとする代表的な立場の一つは、イギリスの哲学者トマス・ホッブズによる「優越説」というものです。優越説によると、笑いというものは「あざけり」や「あなどり」に近く、人のダメなところを喜ぶ気持ちによって生じます。

笑いがこみ上げてくるのは、とっさの行動がうまくいって気をよくする場合、あるいは、他人の中に不出来なところを見出して優越感に浸る場合である。これは、自分自身の能力がきわめて乏しいという自覚のある人々に起こりがちである。そのような人々は、他人の内に欠点を見出すことによって優越感を保たざるを得ない。(中略)

しかるに、他人を嘲笑から救い出し、だれよりも有能な者を自分自身の比較の対象とすることは、偉大な精神にふさわしい行為である。

すべての笑いの形を優越説で説明するのは難しいかもしれませんが、人の失敗や欠点を見つけてにたにたする、という部分は誰も否定できないと思います。

優越感が面白さや楽しさにつながるとすると、悪口が面白さや楽しさにつながることもまったく不思議ではありません。優越説によると、単に不出来なところを見つけることが面白いわけではありません。比較をして、その人が自分より不出来だと認識することが面白いのです。悪口も根本的に比較がともないます。悪口を言って、その人は自分よりも不出来で、劣っているんだ、低い位置/ランクにあるんだ、ということを指摘したり、まさに当の悪口を言うことによって証明したりするわけですから、悪口は優越感を生み出します。つまり、悪口は面白いのです。

笑いの優越説は、標的のランクを下げる悪口が、言う側にとって面白いことをうまく説明します。また、言う側と同列や上位の第三者にとっても、ターゲットに優越感を感じることができて、面白いでしょう。その一方で、言われる側や、そして言われる側に共感する人たちにとって、悪口がまったく笑えないし面白くない、という点も説明されます。同じ立場の人間なのに、より不出来だ、より劣っていると認識されてはたまらないのです。

以下ではさらに詳しく、笑いと悪口を比べていきましょう。ポジティブなイメージを持つ笑いと、ネガティブなイメージを持つ悪口とを比較するのは意外に思われるかもしれません。しかし、笑いと悪口には、似ているところを少なくとも四つあげることができます。

一つ目は、どちらも基本的にはリラックスした状態で生まれ、緊張や心配といった感情とは相容《あいい》れない、というところです。ものすごく緊張しているとき、私たちは普段なら笑える冗談もまったく面白いと感じません。せいぜい、ひきつった笑いが出るだけです。「くすぐり」が面白いのは、親しい仲間が、一緒に遊んでいるような安心できる場面で、くすぐってくるときだけです。大事なテスト中、一生懸命問題を解いているときにくすぐられても、「はあ?!」とびっくりするだけです。同じように、友達同士でわいわいしているときや、自分の家でスマホを触っているときなどに、悪口や陰口や中傷がよく出てきます。自分のなわばりだからこそ、自分は攻撃されない安心できる場所にいるからこそ、悪口を言うわけです。

もちろん、笑いと悪口が生まれる場面がまったく同じだというわけではなく、悪口の方は、けんかや争いの興奮状態においても使われます。怒りで暴言を吐く、といったものです。もっとも、どなったり、うなったりする、ある意味原始的な叫びのようなものは、あまり「悪口」や「陰口」などとは呼びにくいかもしれません（こうした怒りや不満の爆発については、17節で検討します）。

また、緊張感だけでなく、他者への心配や共感も笑いの邪魔をします。たとえば（たとえば、ですから、これが面白いと思ってるわけじゃないですよ）、プロのアスリートが盛大に転ぶのを見て、その珍しいどんくささにくすっとする、というのは分かります。しかし、もしその転ぶのが、小さな子どもだったり、お年寄りだったりすると、「大丈夫⁉」となってまったく笑えません。同じように、悪口のターゲットに共感すると、かわいそうに思えて悪口が言えなくなります。先ほども述べたように、悪口に嫌悪感を抱くひとつの理由は、標的に共感しているからだと思われます。

フランスの哲学者アンリ・ベルクソンが笑いについて書いたものから、関連するポイントを引用しておきます。

通常、笑いに伴う無感動というものを指摘したい。滑稽は、極めて平静な、極めて取り乱さない精神の表面に落ちてくるという条件においてでなければ、その揺り動かす効果を生み出しえないもののようである。われ関せずがその本来の環境である。笑いには情緒より以上の大敵はない。例えば憐憫《れんびん》とかあるいは更に愛情をさえ我々に呼び起こす人物を我々が笑いえないと言おうとするのではない。ただその時でも数刻の間はこの愛情を忘れ、この憐憫を沈黙させなければならぬのである。

私たちも同じように、「悪口を言うためには、愛情を忘れ憐憫を沈黙させなければならない」とつけ加えることができるでしょう。

笑いと悪口の二つ目の共通点は、どちらももっぱら人間に対して向けられる、というものです。さらにベルクソンからアイデアをもらいます。

固有の意味で人間的であるということをぬきにしてはおかしみのあるものはない。景色はきれいだとか、風情があるとか、崇高だとか、取るに足らぬとか、あるいは醜悪だとかいうことはあるだろう。が決しておかしいということはないであろう。人は動物を笑うことはある。けれどもそれは動物に人間の態度とか人間的な表情をふと看守したからであろう。

笑いにはいつも人間が関わります。どれだけ予想外のことが起きたとしても、木の枝や太陽がおかしくて笑える、ということはありません。犬や猫やペンギンのふるまいに笑わされることはあるかもしれませんが、それはそこに人間味を見出しているからです。人間のように成功したり失敗したりする存在とみなさないと、犬や猫では笑えません。純粋な観察ビデオに笑いのポイントはなく、バラエティ番組などは、ナレーションを加えて「おっちょこちょいの猫ちゃん」「人懐っこいペンギンくん」などと、たっぷり擬人化して視聴者に笑ってもらおうとするわけです。

生き物でなくても、学校や会社や政治をバカにして笑うことはあるかもしれません。しかし、その笑いは、それらを作っている人間の失敗やおろかさに笑っているのです。本当に抽象的な組織そのものが笑えるわけではありません。

同じように、悪口も人に向かって言うものです。「青春のばかやろー」「この台風ほんとサイテー」などと不平不満を口にして、暴言を吐くことはできるかもしれませんが、これを「青春／台風に対して悪口を言った」とまじめに報告するのはかなり難しいでしょう（比喩《ひゆ》的にそう言っているように聞こえます）。また、会社や学校や政治の悪口を言うことはもちろんできますが、それもその「背景にいる誰か」に向けられていると理解されます。

笑いと悪口の三つ目の共通点は、どちらも基本的に社会的な集団を必要とする、というところです。

笑いには反響が要るもののように思われる。（中略）我々の笑いは常に集団の笑いである。（中略）笑いは現実のあるいは仮想の他の笑い手たちとの或《あ》る合意の、殆《ほとん》ど共犯とでも言いたいものの、底意をひめている。

何かについて笑うとき、仲間同士で「これ面白いよね」「楽しいよね」あるいは「こいつバカだよね」と、気分や価値観を共有します。誰が仲間かを確認し、安心しながら、集団の中で笑うわけです。大自然の中でたった一人、野原に向かって「あっはっは草生える」と笑うことはかなり珍しいでしょう。

同じように、悪口も典型的には大なり小なりの集団を必要として、そのコミュニティの中で共有されます。悪口はランクの問題です。ですので、完全に一人だったら、ランクが無くなるため、あいつは下だよね、劣ってるね、というやりとりは成立しようがありません（3節の「王様の耳はロバの耳」の例を思い出してください）。言いかえれば、評判を操作するのが悪口ですので、評判のおおもとである社会が無ければ、悪口は存在できません。

関連して、悪口の標的になるのも、広い意味で同じ社会に生きている人たちになります。家族やクラスメートや職場の同僚などは、身近なコミュニティにいる人で、典型的な悪口の標的となるでしょう。一方、同じ社会に生きているとはとても思えない人間に向かって、悪口を言うことは難しくなります。たとえば、織田信長のようなかなり昔の人物に対して「悪口を言う」ことはできないでしょう。これは、織田信長と直接の関係性がないので、織田信長を自分より下、などと考えるのが難しいからです（3節の「オーストラリア大陸」の例も思い出してください）。同じように、織田信長を自分より目上の人間ととらえて、「さん」などをつけるのもかなり変に聞こえます。「信長さんが天下布武しちゃって〜」などはジョークに過ぎません。

かつて三河国だった愛知県岡崎市に住んでいる人たちが、徳川家康のことを「家康公」と敬称を使って呼ぶことがあります。おそらく、徳川家康を自分と関連する（目上の）人物だと認識しているからこそ、そのように呼べるのでしょう。よそ者の私がそう言ったとすると、かなり不自然な日本語に聞こえます。

会ったことのない著名人を「さん」づけで呼ぶことに違和感を覚える理由も、ここにあると思われます。もしその人が知人であり、関係性があるのならば、「さん」と呼ぶことが自然ですが、まるで歴史上の人物のように縁遠い海外ミュージシャンなどを「呼び捨て」にしても特に違和感はありません。

しかし、この感覚から生じる帰結として、まるで歴史上の人物を評論するように、今生きていて血と肉を持った芸能人やアスリートなどについてもあれやこれや言ってしまいます。オンライン上でつぶやく際などは、その人たちも同じ世界に同時に生きているんだ、ということはときどき思い出した方がよいでしょう。

さて、笑いと悪口の最後の共通点は、笑いも悪口もどちらも集団の中で広まることです。世の中のすべての先生は、授業中なんとか笑いを取ろうと必死になるわけですが、笑いが起きるか起きないかは、言う内容よりも、その場の雰囲気次第だということもよく分かっています。まったく同じ冗談を言ったとしても、クラスの中に最初に笑ってくれる人がいるかどうかで、笑いの質が大きく変わります。周りに笑っている人がいると、同じ気分が伝染し、つられて笑うことがあります。悪口も、周りに悪口を言っている人がいると、それにつられて悪口を言う人が出てきます。この特徴を使って、悪口を言わせようとする人もいるかもしれません。最初に悪口を言い出した人には要注意ですね。

17　悪口の脳研究

悪口を「熱い」ものと「冷たい」ものに分けることもできます。熱い悪口は、突発的な暴言、汚いことばで叫ぶようなものが含まれ、冷たい悪口はそれ以外で、落ち着いた物言いで人をおとしめることや、冷静な発言で人をバカにするようなことが含まれます。

熱い悪口は、取っ組み合いのけんかや、火事から逃げ出すときなど、興奮状態において口から出てしまうようなことばです。「おらぁ!」「くそっ!」のような、暴言は暴言ですが、人に向けられているとも限らないことばも含まれます。ですので、本書の、ランクを下げるという意味での「悪口」とは異なるとも言えます。これまでは、どちらかというと冷たい悪口に焦点を当ててきました。言い方やことばのチョイスに限らず、人を劣った存在と述べることが悪口になる、というのが本書で伝えたいことだったからです。しかし、ここではちょっと別の観点を取り入れてみます。以下では、熱い悪口を単に「汚いことば」や「暴言」と呼ぶことにします。

汚いことばは、人間の心の中に特別な場所を持っているという研究があります。脳卒中で脳の機能が損なわれたとき、言語の理解や使用に困難がある「失語症」になることがあります。失語症にはたくさんの種類がありますが、そのひとつに、ほとんどの単語が使えない――時計を見て時計について話そうとしても「時計」という単語が出てこない――のに、汚いことばといくつかの決まり文句だけは使える、というものがあります。「安全ピン」は出てこないのに、「クソが！」「ちくしょう！」みたいなことばはポンポン出てくるのです。

他にも、トゥレット症候群という神経に関わる症状を持つ人のごく一部に、「汚言症」(coprolalia)と呼ばれる行動を取ってしまう人がいます。〝copro〟と〝lalia〟はそれぞれギリシア語の「クソ」、「しゃべる」に当たる語がもとになっていて、文字通り汚いことばや、タブーとされていることばを、自分の意志とは関係なく口にしてしまうというものです。たとえば、〝f〟から始まる英単語や、「クソ」に当たることばなどです。トゥレット症候群のメカニズムは完全には解明されていませんが、神経伝達物質（セロトニン・ドーパミン）がその症状に関係があることも分かっています。意志とは無関係で、本人のせいでも、家族のせいなどでもまったくないという点は、強調しておきます。

関連して、暴言を言うことで、痛みにより耐えることができるという興味深い研究があります。氷のバケツに手を突っ込んでもらい、どれくらい我慢できるかの時間を測ります。手を入れながら「クソが！」のような卑語を連呼すると、より長時間我慢できることが分かりました。「本！」のような普通の単語を連呼しても、そのような効果はありませんでした。ちなみに、笑いにも似たような効果があるという研究があります。笑うとより痛みに耐えることができるわけです。

というわけで、感情的になったときに、乱暴なことばが思わず出てしまうとか、痛みやストレスに抵抗するために暴言を吐くとか、そういった特徴を私たちは持っているとは言えそうです。だからといって、いつでも悪口を言っていいというわけではないことは、これまで議論してきたことから明らかだと思います。

18　狩猟採集民の悪口

罵詈雑言《ばりぞうごん》はどうも人間の深いところに根ざしているということが分かりました。悪口はぽっと出の新人でも、最新ガジェットでもないわけです。その点をさらに深く検討するため、人類学の民族誌を利用します。人間を研究するのが人類学で、民族誌というのは、少数民族のコミュニティなどに自ら飛び込んでいき、生活をともにすることによって（「フィールドワーク」という研究手法の一種で、「参与観察」とも呼ばれます）、コミュニティの社会・経済・文化などを調べた報告書のことです。

人類学者たちは、現在は少なくなりつつある狩猟採集民についても数多くの調査を行ってきました。狩猟採集民というのは、一箇所に定住せず、定期的に移動するキャンプを拠点として生活し、農業ではなく、狩りをしたり、木の実を集めたりして食物を得ている人々のことです。だいたい、ひとつのキャンプは三〇人くらいでできていて、複数の家族が一緒に住んでいます。ときどき、複数のキャンプが集まって取り引きや祭りを行います。そのときには、一五〇人や二〇〇人くらいの人々が集まります。

また、そうしたキャンプには、誰が殿様で誰が家臣といった、明確な序列関係が存在しないというのも狩猟採集民族の特徴のひとつです。「首長」とか「村長」とか「大物《ビッグ・マン》」と呼ばれるような、力を持った人物が決められていないのです。もちろん、知識と経験のある老人がアドバイスをする、ということはありますが、その人が「長老」などと呼ばれるわけではないのです。少なくとも明示的には権力関係がなく、食事を分け合う非常に平等なコミュニティの中で暮らしています。こうした、狩猟採集生活を送る人々の暮らし方は、人間が何万年前に行っていた暮らしにかなり近いと考えられています。

デジタル機器とストレスに囲まれている現代人と比べて、そうした「自然な」「あるがまま」の暮らしをしている狩猟採集民の人々は、さぞ悪口を言わないだろう、と思われるかもしれませんが、実は、まったくそのようなことはないと民族誌が伝えています。狩猟採集民は悪口を言いまくるのです。

まず、エピソードをひとつ紹介します。カナダの人類学者リチャード・リーは、一九六〇年代に、アフリカ大陸南部のカラハリ砂漠に住むサン人を調査していました。ある年のクリスマスに、リーは日頃の感謝をするために、調査に協力してくれているキャンプの人々に牛を買ってプレゼントしようとしました。それは五〇〇キロを超えるような立派な黒い牡牛で、いつものキャンプの人だけでなく、クリスマスのために集まってくる複数のキャンプの人たちみんなを満足させるほどの、たくさんの肉が取れるはずのものでした。

最高のプレゼントが準備できたぞ、と思っていると、リーはキャンプの人からの意外な反応に困惑しました。牡牛のことを伝えると、「はぁ？　私たちにそんな骨の袋を食わせる気なの？」「やせっぽちで肉なんかないよ」「ツノでも食わせる気なの？」とくすくす笑われたのです。他にも、「死にかけ」「年とった残骸」「お前はここに何年も住んでるのに何にも分かってない」「肉の取り合いで争いが起きるぞ」とまで言われてしまい、リーは自分は牛を見る目がなかったのだとがっかりしてしまいました。

ところが、クリスマス当日、牡牛が引き出され実際に解体されてみると、やはりリーが最初に思った通り、痩せているどころかたっぷり脂が乗っており、たくさんの肉が取れました。集まった人々はニコニコと喜んで踊り、二日二晩にわたって、肉はシチューとしてふるまわれました。

リーは安心しましたが、なんでそんなに牡牛のことをバカにされたのだろう、自分は白人のよそ者だからかつがれたのかなと思い、後からそのことを聞いてみました。そして分かったのは、それは冗談などではなく、狩猟の腕前や、持ってきた獲物についてバカにするのが、サン人の習慣のひとつだったのです。平等に分け与えられた肉をもぐもぐしながらでも、「これはひどい！」「何の価値もない！」などと言うのがごく当たり前だったのです。

どうしてそのようなことをサンの人々はするのでしょうか。それは「傲慢さ」のためだと、リーは信頼している人物から教わりました。狩りがうまくいくと、若者はすぐに調子に乗って大物《ビッグ・マン》ぶってしまうので、それをいさめるために獲物のことを小馬鹿にするというのです。「私たちは自慢をする人間を認めません。そのような人は、いつか、その自尊心のせいで誰かを殺してしまうからです。だから、獲物がたいしたことがない、ということを常に言って、その人の頭を冷して、穏やかな人間にするのです」と。

謙虚であることが、サンの人々にとってはとても重要だったのです。大きな獲物を射とめた日でも、周りから聞かれるまでは、決してのそのことを言わず、いざ「狩りはどうだった?」と聞かれたときに、「いやあ、今日もダメだったよ。こんなに小さな成果しかないよ」と言いながら、大成功の収穫を見せる、というのが、サン人がすべきふるまいなのです。

このサン人の習慣に、とても馴染《なじ》みがあるとは思えないでしょうか。10節でも触れたように、お土産を渡すとき「つまらないものですが」と必ず口にして、自分が渡すものを誇らない習慣があります。そこまで言わなくても、と思わなくもないですが、そこには、調子に乗ってるわけではないですよ、大物《ビッグ・マン》ぶったりしませんよ、というメッセージが込められています。慎み深さを示すことの重要さは、どの人間社会にもいろいろな形で現れるようです。

悪口を言うことによって、誰かが調子に乗るのを防ぎ、大物《ビッグ・マン》、すなわち権力者が生まれるのあらかじめ防ごうとする、という行為は、サン人だけに見られるものではありません。平等主義的な狩猟採集民において、言語を使ったある種の攻撃が、地域を超えて幅広く観察されています。

まず、狩猟採集民は人々についてのおしゃべり、つまりゴシップをよくしているという観察があります。砂漠や草原の中で、三〇人程度といった小さな集団で暮らすとき、お互いの協力が必要になります。私たちのように、「今日は自分は軽くコンビニで食事を済ますね～」というわけにはいかないのです。互いに採集した食糧を分けて、人手が必要な作業も分担して、はじめて生活が成立します。ですので、おしゃべりをして、お互いのことについて共有し、コミュニティの役割からはみだす人がいないかどうかチェックする必要があります。

大きく和を乱すような人がいたら、それはどうなのか、と介入しないといけません。たとえば、狩りの獲物は平等に分けるという習慣があるのに、明らかに自分の家族だけその取り分を大きくしたり、こっそりと自分だけのものにしたとすると、周囲の人々からの介入の対象となります。そして、ことばによる牽制が、もっと深刻な物理的介入よりも、より頻繁に用いられる手段なわけです。

最初は揶揄《やゆ》や冗談が使われます。その次は、もっとあからさまなののしりのことばが使われます。たとえば、砂漠ではなく、ジャングルに住んでいるムブーティー・ピグミーと呼ばれる人々に関する民族誌には、自分だけたくさん獲物が取れるようにズルをしていた男が、「肉を盗むお前はケモノだ！」と厳しく抗議されたという記録があります。リーによるサン人のフィールドワークには、もっとも攻撃度が高いことばとして、性器を意味する単語など、性に関する表現を使うことが記されています。

そうしたことばのやりとりが問題を解決しないとすると、次はより強行的な手段が取られます。その対象となる人に向かって、一切話をしない、取り引きをしないといった形で、一時的にキャンプから離れさせるというものです。キャンプから離れることにはいろいろな不利益がありますが、それ以上の争いを発展させないために、頭を冷やす期間が設けられるわけです。

さらには、人類学者が調査できた範囲でも、無視をするといったこと以上に、物理的な実力行使、暴力や殺害なども行われている、ということが分かっています。もちろん、そのような事例が多いわけではなく、狩猟採集民の人々が都市に住む人間よりも暴力的だというわけではありません。ことばによる攻撃は、物理的暴力にうったえるもっともっと前段階に使われ、コミュニティの中で権力者が生じないために用いられるのです。

19 イコライザーとしての悪口

こうして考えていくと、悪口とそして笑いの使いどころが見えてきます。誰かのランクを下にして支配するために悪口を使うのは悪いことでしょう。しかし、誰かが自らのランクを上だと思い、みんなを支配しようとしてきたらどうでしょうか。そんな人間に対しては、積極的に悪口を言って、笑ってあげて、人を支配しようなんて思わないでよ、と伝える方がいいと思われます。

サッカーといったスポーツで、相手に一点負けているとき、自分のチームが一点獲得して同点にするプレーは、英語で「イコライザー」(equalizer)と呼ばれます。サッカーなら「同点弾」と訳すのがいいと思いますが、「イコールにする」つまり、「等しく」「平等に」「とんとんに」する、という意味が一般的にあります。

狩猟採集民の悪口は、大物《ビッグ・マン》を防ぐためのイコライザーだと言えます。私たちも、悪口はイコライザーとして使っていくべきです。悪口を言って面白がるのも、自分より弱い立場の人間に向かって使いにやにやするのではなく、自分より強い立場の、すでに得点をバンバン重ねている人たちに向かって、同点に向けたイコライザーとして悪口を言って、権力をあざ笑うべきなのです。

歴史的に、文字通り立場が上の存在である国王や皇帝などは、イコライザーとしての悪口の対象となってきました。しかしもちろん、それくらいで権力が揺らぐわけではありませんが、下の立場にいる一般の人々が、少しでもランクのギャップを縮めようと努力したわけです。

国王ではありませんが、国王のように絶大な権力を持っていた、ソビエト連邦の政治家スターリンに向けられたジョークを一つ紹介します。

スターリンが水泳をして溺れそうになった。通りすがりの農民が水に飛び込んで無事スターリンを助けた。スターリンは農民に向かって褒美は何がいいかと尋ねた。農民は、自分が誰を助けてしまったのかに気づいてこう叫んだ。「何もいりません！ただ、私があなたを助けたことは誰にも言わないでください！」

これは、スターリンが民衆からいかに嫌われているかを示すという意味で、スターリンに対する揶揄や悪口と言えます。スターリン自身は不快に感じるかもしれません。しかし、こう言われたスターリンのランクが下になった、とはとても言えません。一般人がこのようなことをおおっぴらに言っては、スターリンによって強制収容所送りになってしまうほどの立場の違いがあるからです。そして、そのような支配関係はあるべきではありません。

現在の政治家に対しても、イコライザーとしての悪口やジョークはある程度使われてもよいと考えます。スターリンほどの独裁者にならないとしても、国全体や地域の政策を決める力を持っている限りにおいて、支配者になってしまう可能性を持っているからです。政治家は本質的に市民と同じランクの人物であり、代表するという役割を持っているだけです。ですので、もし大物《ビッグ・マン》ぶりそうならば、多少悪口を使ったとしても、しっかりと牽制されるべきです。あなたは上の立場ではなく、等しいランクの存在なんですよと、サン人の若者のように、頭を冷やしてもらうためにです。

20　ヴァーチャルな悪口

このパートの締めくくりとして、「悪口はヴァーチャルなものだ」という主張をします。少しややこしいポイントですが、本書のタイトルである「悪口ってなんだろう」という問いへの最終的な答えにもなりますので、ちょっとおつき合いください。

これまでに、悪口がとても多面的であることが分かりました。多面的すぎて、それぞれの側面は相反するようにも見えます。一方で、悪口は単に不快などころか、人のランクを下げ、尊厳に関わり、深刻にとらえないといけません。その一方で、悪口は面白く、軽口や冗談や団結の手段でもありえます。深刻にとらえ過ぎず、使うときには使った方がよいものです。混乱してきませんか。こうした複数の表情をまとめて説明してくれるのが、悪口のヴァーチャル性です。

最近VR／AR（仮想現実 virtual reality／拡張現実 augmented reality）技術が進展してきました。たとえば、大きなメガネのようなVRゴーグルを装着することにより、コンピュータープログラムによって作られた架空の街の中で、架空の身体に入り込んで活動することができます。架空の身体は変更・調整が可能で、自分の好きな姿形を選ぶことができます。AR技術の方は、一から架空世界を作り出すのではなく、あくまで現実世界に少し変化を加えます。たとえば、ARメガネをかけることにより、自分が見ているものと重なった形で、道案内や人のプロフィールなどを見ることができるようになります。

少し（だいぶ？）先の未来として、現在のスマホのように、ほとんど誰もがARコンタクトレンズを日常的に使用して暮らしているところを想像してください（コンタクトを目に入れたくない人にはメガネの選択肢もあります）。いちいちスマホの画面なんて見なくても、必要な情報やアプリが目の前に表示されるので、それを音声や指によって操作します。チャットから天気予報から書類作成から大学受験まで、いつでもAR機能を使いますので、職場でも学校でもプライベートでもARレンズが欠かせません。

そうしたARレンズの便利な機能のひとつとして、部屋中に仕掛けられた各種センサーにアクセスし、ものの温度や重さなどを視覚化してくれるというものがあります。たとえば、二つのマグカップには、「68℃」「92℃」といった数字が少し浮かんだように写っています。おかげで、熱いものにうっかり触らずに済みます。

お遊びの機能もついています。退屈な日常をちょっと賑《にぎ》やかにするために、会う人々みんなを派手にデコレーションするというアプリがあります。プリクラのスタンプや、画像を加工しながら撮影できるアプリの進化版だと思ってください。たとえば、学校の歴史の先生には、猫の耳と尻尾が生えて見えます。授業中もぴょこぴょこ動いたりするので、少し和みます。生活指導の体育の先生は、髪の色が鮮やかなピンクになっているので、ちょっとだけ笑えます。リアルタイムの画像処理技術は現在と比べはるかに進んでいますので、加工された部分とされていない部分の継ぎ目なども一切なく、猫耳やピンク髪が作り物であるようには見えません。ただ、アプリを閉じれば猫耳などは消えてしまうので、それらがフィクションだと分かります。

さて、ある日、その「デコ」アプリに不具合が生じたとしてください。アプリは周りの人のARレンズと勝手に同期して、同じデコレーションが同じ人物に割り振られるようになりました。また、ARレンズを起動している限り、デコレーションを解除することができなくなってしまいました。つまり、たとえば、同じクラスの人なら誰にとっても、ずっと歴史の先生からは猫耳が生えていますし、体育の先生はピンクヘアーです。デバイス間の同期が進めば、学校全体や街全体でも、同じ見え方になる場合があります。

ARレンズの電源を切って使わなければいいのですが、その選択肢は現実的ではありません。学校に来て勉強したり、職場に来て仕事をしたりする限り、AR機能が必要だからです。ARレンズの使用を全部やめてオフライン生活をすればよいのですが、それができるのは働かなくても生きていけるようなごく一部の富裕層だけです。ですので、みんな仕方なく、「デコ」アプリの暴走を受け入れて生活しています。

しばらくすると、歴史の先生のあだ名は「猫先生」に、体育の先生のあだ名は「ピンクティーチャー」になりました。まるで、それぞれの人たちのデコレーションが、その人の本当の特徴かのように思えてきたのです。もちろん、誰もが「実際はそうでない」とは知っています。しかし、機械によって作られたフィクションだとは分かっていても、常に尻尾が生えているわけですので、それをうっかり踏まないように足をどかしたりしてしまいます。人々は、デコレーションがあたかも現実かのようにふるまうのです。

さて、私は悪口がまさにこのAR「デコ」アプリのようなものだと考えています。悪口の対比として、普通の「熱い」ということばは、温度を教えてくれるARの基本機能のようなものだと考えています。どうしてそう考えるのか、順を追って説明しましょう。「熱い」という単語の働きを考えてみます。「Nが熱い」という発言の意味は、Nの温度がとある基準値よりも大きい、というものです。つまり、「Nの温度＞基準値」というような内容を伝えています。基準値は場面場面によって変わります。たとえば、日常的な文脈では、基準の温度は「触っても大丈夫な温度」となるかもしれません。また、「NがOより熱い」なら、「Nの温度＞Oの温度」と解釈されます。そして発言を通じて、これらの情報が周りの人たちとシェアされます。

言語表現としては「うざい」も「熱い」と同じ「い」で終わる形容詞です。両方とも同じ仕組みで理解されます。すると、「Pがうざい」の意味は、「Pのうざさ度合い＞基準値」であり、「PがQよりうざい」の意味は「Pのうざさ度合い＞Qのうざさ度合い」となります。そして、「熱い」の使用と同じように、発言によってこれらの情報がシェアされます。

つまり、言語理解の仕組みとしては、こうした形容詞の使用により、「N＞基準」「P＞Q」といった抽象的な順序関係、一種のランキングが表現され、その情報がシェアされるのです。そして、その情報をもとに人々は行動を変えます。Nが触っても大丈夫でないほど熱いなら、Nに触るときは慎重になるでしょう。うざい人に対しても、同じように慎重になるかもしれません。

「熱い」と「うざい」が決定的に違うのは、「熱さ」には分子運動といったそれに対応する現実があるのに対して、「うざさ」には同じように対応する現実がないところです。もちろん、何らかの客観的事実に反応して、人々は「うざい」や「きもい」といった発言を行います。しかし、そこに一貫したパターンはありません。ふるまい、発言、外見、服装などだけでなく、出身や家族など、ありとあらゆることに反応して、人はそんなことを言います。言う人は、単に、自分が不満だということを表して、横柄な態度を取っているだけだからです。熱いもの一般に共通する物理的特徴は何だろうか、と科学者が探求するように、うざいもの一般に共通する特徴は何だろうか、と私たちが探求するのは時間の無駄です。そこに何も深い事実は隠されていません。

別の観点から言うと、「熱さ」は間違うことがありますが、「うざさ」に間違いはありません。本当はもっと温度が高いのに、温度計の故障のせいで間違って「熱くない」と言うことがあります。熱のランキングについては、計測可能な事実が存在します。その一方、「うざさ計」や「きもさ計」などというものはありません。誰かがうっかり間違って、事実に反して、「うざっ」と言う、などということはないのです。「うざさ度合い」と、それにもとづいた「うざさランキング」は、現実の特徴ではなく、人間が「うざい」と言って回ることによってはじめて成立する仮想的特徴だからです。

悪口は右のような意味でヴァーチャルであり、AR的です。悪口のこの性質が、一方で軽口や冗談が可能であること、もう一方で悪口がものすごく深刻になること、という相反する側面を両立させます。

まず、軽口や冗談として悪口を言うことが可能です。本来、「デコ」アプリは時間潰し的お遊びアプリで、開いたり閉じたり、別のデコレーションを割り振ったり、面白いデコレーションをシェアしたりするものです。デコレーションはあくまで一時的で、その場限りで消えていきます。

言語も、その場限りのヴァーチャルな関係性を導入します。たとえば、恋人同士がふざけて、ひとりをお姫さまに見立て、「姫様、いかがいたしましょうか」「わらわは甘いものを所望するぞ」「はは。かしこまりました」とまるで貴族と家臣のように話すことができます。この際、ランクの違い、身分差がヴァーチャルに表現されています。しかしここで表された関係性が、次の会話において引き継がれることはありません。街に出た瞬間に、「じゃあ、何食べよう?」と普通のことばづかいに戻ります。使い終わったら「デコ」アプリを閉じるのです。

同じように、7節、8節で見たように、信頼している同じランクの仲間同士が、互いを励ましたり元気づけたり祝福するために、悪口や汚いセリフを交換することができます。「あほか、そんなに落ち込んでどうするねん」とか「やりやがったなバカやろー!めでたいなぁ!」などと言っても、それが本当に人のランクを下げるわけではありません。あくまで、言っているだけですので、アプリを閉じるように、そこで示されたヴァーチャルな関係性はすぐに消えていきます。

しかしその一方で、ヴァーチャルなところが、悪口の深刻さを軽減するわけでもありません。何かがヴァーチャルであることは、それが短命で不安定なことを示唆しますが、常にそうとは限りません。先ほどの「デコ」アプリの不具合のように、ヴァーチャル空間を半永久的に維持することは十分に可能であり、言語的に表現されたヴァーチャルな関係性も、長い期間にわたって維持することができます。

たとえば、ひとつの場面で、とある人物を「さん」を使って呼んだとすると、次も同じように話すことが期待されます。「さん」によって表された社会的関係性は、会話から会話へと引き継がれていきます。

「うざい」と誰かをののしることにより、ランクの優劣関係や権力関係が表現され、周りと共有されます。はっきりとした撤回や、誰かによる介入がなされないとき、それらの関係性が解消されたと積極的に考える理由はありません。ひとつの場面を超えて、明日も明後日も、同じ設定が引き継がれていきます。

誰がうざくて、誰がうざくないのか。そんな「うざさ」の基準などは、権力者が決める勝手でヴァーチャルなものに過ぎません。しかし、そのヴァーチャルな設定を消去せずに、同じように会話を続けていくならば、いつまでも同じヴァーチャルなランキングが残されたままになってしまいます。たとえ、悪口が、誰かが劣っていると言うだけのヴァーチャルなものでも、それを表示するARレンズが外せないなら、誰かを劣った存在とする行為が実質的に成立しています。それは人の尊厳や命に関わる、見逃せない事態です。

パートⅢでは、「どうして悪口は面白いのか」という問いに答えるために、悪口と笑いを比べ、狩猟採集民の悪口を検討しました。悪口が楽しいのは、人をダシにして笑いを取るという人間のダークな本性とも関わっていましたが、それと同時に、悪口は権力者に立ち向かうひとつの武器だということも分かりました。また最後には、悪口はヴァーチャルな性質を持つからこそ、笑いに変えることも、人の尊厳を損なうこともできるということを確認しました。

これで、悪口についての三つの問いに答え、「悪口ってなんだろう」という問いにも答えることができたと思います。この後は、本書の仕上げとして、これまでの議論を簡単に振り返って、そんな悪口とどうつき合っていけばいいのかについて述べてみます。

おわりに　悪口とのつき合い方

本書のパートⅠでは、「悪口はどうして悪いのか」という問いに答えました。人を傷つけるかどうか、悪意があるかどうかではなく、平等のランクにいるはずの誰かを、ランクが下の存在として取り扱うかどうかで、悪いかどうかが決まると言いました。ヴァーチャルな悪口がもし本当に誰かを下の存在として扱ってしまうなら、それは悪い発言になります。

パートⅡでは、軽口や批判などと悪口を比較し、「どこからどこまでが悪口なのか」という問いに答えました。ヴァーチャルな悪口が、ヴァーチャルな関係性を操作するに過ぎず、本当には人をおとしめないならば、それは軽口や冗談にとどまります。

パートⅢでは、「悪口はどうして面白いのか」という問いに答えました。そもそも笑いは人の比較に関わり、人を比較する悪口が笑いにつながるのは当然のことです。集団で暮らす人間にとって、笑いも、悪口も、コミュニティを維持する役割を果たしてきました。

では、そんな悪口とどうつき合っていけばよいでしょうか。最初に、悪口を言う側の観点から考えてみます。本書で提案された悪口の使い方は、まるでサンの人々が若者をたしなめるように、大物《ビッグ・マン》ぶって支配者になろうとする人物に向けて、その権力を削ぐために使うというものです。ですので、政治家がある程度の揶揄《やゆ》を引き受けることは仕方がないと言えるでしょう（もちろん、揶揄だけでなく、適切な非難と批判も数多く向けられるべきです）。

大学の先生なども、学生に対しては大きな権力を持っているわけですので、学生から多少馬鹿にされても文句は言えないと思います（ほどほどにお願いしたいところですが）。

ここで「ある程度」「多少」と度合いを区切っているのは、可能性として、立場関係がひっくり返る一種の革命的状況もありえるからです。「下の立場だからこそ言える」というそれだけ見ればもっともな点をゲーム的に利用して、子どもがたいした権力もない学校の先生をいじめ抜く、といったことはおそらく現実にあることでしょう。もはや、下から支配者を牽制する、というものではなく、自分より弱いものを攻撃する、という結果になっているのです。

結局、弱いものいじめをするな、という当たり前の真理にたどり着いたとも言えます。私たちは、弱者を踏みつけるために悪口を使うのではなく、強者に抵抗するために悪口を言うべきなのです。

一番大事なことは、細かいことば尻がどうとかではなく、誰かのランクを下げ、平等さを危うくするような発言をすべきではない、ということです。その大筋を認めた上で、悪口についてのもう少し細かい、日常的なアドバイスを本書の議論の中に見つけることもできます。

ぐっと距離を詰めて人と親しくするために、「からかい」や「軽口」や「いじり」を使いたくなることがあるかもしれません。そういうときどうしたらよいでしょうか。

本書が明らかにしたのは、悪質な悪口とそれ以外の線引きが本質的に難しいことです。文脈と関係性次第で何もかも変化します。ですので、すぐに軽口に頼るのではなく、最初は正直で誠実な発言だけを用いて、時間をかけて信頼関係を作る方がよいでしょう。

もしからかうなら、ランクの同等さを保つために、しっかりと「いじり」と「いじられ」をペアにして相互性を実現させる、あるいは、自虐をふんだんに使うことにより、どちらかが上になってしまわないようにする、ということが大事になります。

人をからかうなら、ついでに自分もからかわれるように仕向けないと、単に誰かをおとしめただけで話が終わってしまいます。脇を甘くして、スキだらけにして、自分もいじられるようにした方がよいでしょう。

また、自虐をそれなりにちりばめて、あなたを支配するつもりはない、というメッセージを伝えることも大事です。自分をダシにして笑いを生み出し、より仲良くなることができるかもしれません。

また、からかうにしても、容姿や性格などではなく、名詞で表すことが難しいような、一度きりの出来事（おっちょこちょいな失敗など）をターゲットにする方がよいでしょう。あくまで、ヴァーチャルな、その場限りのフィクションとしてからかい合っていることを明確にするのです。

次に、悪口を言われる側の観点に立ってみます。ここでは、独裁者に対する風刺などではなく、クラスメートからの陰口といった、平凡ですが、身近な例を考えましょう。

悪口を言ってしまう人の心理は複雑でしょうが、本書の提案を踏まえると、むしろ同情を誘う、かわいそうな状況にある人だとも言えます。悪口を言う人は、優劣のランキングや存在のランキングにとらわれています。誰かを下げずにはいられないから悪口を言うわけです。はっきりと言語化できなくても、自分が下位にいるという意識を持ち、それに耐えられなくなっているのかもしれません。誰かのランクを下げることにより、何とか自尊心を保ちたいのでしょうか。痛々しいものがあります。

悪口には悪口で返さないといけないのでしょうか。そんなことはありません。それでは、「バカって言う方がバカ」の世界、決闘で名誉を維持していた時代へのさかのぼりです。むしろすべきことは、同じ土俵/決闘の舞台に上がらないで、人にランク差があることを否定することです。悪口はヴァーチャルです。ランキングは幻に過ぎません。誰も誰よりも劣っていないし（違いがあっても）、優れてもいません（違いがあっても）。

自分で書いていても思いますが、「そうは言っても優劣を感じる」のは否定できません。しかし、感じることと実際にそうかどうかは別物です。容姿がどうだ、能力がどうだ、年齢がどうだ、収入がどうだと人を値踏みして、ランキングをつけて、上げたり下げたりする人々に合わせる必要はありません。何度でも繰り返しますが、悪口はヴァーチャルなものに過ぎません。

最後に、悪口を耳にする（目にする）第三者の観点から考えます。悪口を言われる側の精神的負担を考えると、言われる側は軽くいなした方がよいわけですが、第三者としては、「しょせんヴァーチャルだ」と軽くいなすだけではなく、「そんなこと言ったらダメ」と批判することも必要になります。悪口は社会的な存在であり、周りが止めれば悪口は止まるからです。

私たちは、人間のランキングのような、仮想的フィクションにどっぷり浸かって生きています。それと違う生き方をなかなか想像できません。ですので、お互いの悪口ARレンズを外してあげて、人間同士上も下もないんだということを、あらためて、確認し合うべきなのです。

悪口は人間の性《さが》であり、人間が集まって暮らす限りなくならないでしょう。つまり、これからもずっと悪口とつき合い続けないといけない、ということです。「なんやその結論？　しょーもな！」と思わず悪態をつきたくなりましたか？　そんな悪口も私たちの隣人なので、ほどほどの距離感を保ちつつ、一緒に生きていきましょう。

あとがき

本書の企画は、筑摩書房の橋本陽介氏からもう何年も前に受け取ったもので、前著の『悪い言語哲学入門』（ちくま新書）を出版する以前から進行していました。数年越しにやっと企画を実現することができて、ひとまず安心しています。橋本氏には、前著に引き続き編集を担当してもらい、さまざまなアドバイスをいただきました。とても感謝しています。

南山大学では、上級生向け「特殊講義」（二〇二三年度）に参加した学生のみなさんに、本書の草稿をチェックしてもらいました。授業に参加して、細かいミスから本質的な批判まで、膨大な数の気づきを与えてくれたみなさんに、深くお礼を申し上げます。また、ゼミ生の竹内美月さんには校正作業を手伝ってもらいました。いつも文献に対して行っているように、正確かつ鋭い指摘を出してもらい、たいへん助けられました。

前著を出した後に、これまではあまり縁のなかった場所でお話をする機会を得ました。

市民セミナーやメディア取材などを通じて、「悪い言語」についてたくさんのフィードバックと質問を受け取りました。悪口についての本書は、そうして得られた経験を強く反映しています。ここで、前著に関心を持って、どのようなものでも反応を届けてくださったみなさんへの感謝を伝えたいと思います。どうもありがとうございました。

もちろん、本書に残るすべての間違いや不備は、私自身のみがその責任を負うものです。読者のみなさんからのご批判をお待ちしております。とはいえ、そこまでハートが強くないので、もらうのは「まっとうな非難」くらいまでがよいなあ、とは思っています。全然手加減してくれてもいいんですよ、ほんとに。

＊本書における研究の一部はJSPS科研費（22K00020）の助成を受けたものである。

注

p. 13「悪口はどうして悪いの？」1–2節での議論は，和泉悠（2022）．『悪い言語哲学入門』筑摩書房．（ちくま新書）．「第1章　悪口とは何か——「悪い」言語哲学入門を始める」でも別種の例を使って展開されている．同書は，本書では詳しく述べない理論的背景を解説している．以下でも，同書のどこを参照すればよいのか一部言及する．

p. 13「身体の痛みも心の痛みも」Eisenberger, N. I., Lieberman, M. D., & Williams, K. D.（2003）. Does rejection hurt? An fMRI study of social exclusion. *Science*, 302（5643）, 290–292. 身体的痛みと「社会的痛み」（social pain）がどれほど共通するかについては議論が続いている：玉井颯一（2020）．仲間はずれにされると「痛い」のか．『心理学評論』63（2）, 170–182.

p. 17「身体から心を切り離す」「解離」（dissociation）と呼ばれる症状のこと：岡野憲一郎編（2010）．『わかりやすい「解離性障害」入門』星和書店．

p. 18「トーン・ポリーシング」口調の取り締まりについては，以下のブログ記事が哲学的解説を与えてくれる：MacLachlan, A.（2022, May 10）. Tone policing and the assertion of authority. *APA Online Blog*. https://blog.apaonline.org/2022/05/10/tone-policing-and-the-assertion-of-authority/（最終閲覧日2023年4月11日）．

p. 24「発言にはおおよその型があり」言語行為の類型を想定

している：和泉 op. cit.「第5章　それはあんたがしたことなんや――言語行為論」.

p. 24「話し手の心の動きだけに注目」心的な「軽蔑」(contempt) 概念を用いて侮辱的言語を特徴づけようとする試みもある：Jeshion, R. (2018). Slurs, dehumanization, and the expression of contempt. In D. Sosa (Ed.), *Bad Words* (pp. 77-107). Oxford University Press. しかし，その場合でも，「軽蔑」を非常に複雑な心的状態として理解し，特定の感覚とは結びつかないとする．単なる嗜虐的意図といったものだけでは侮辱は説明できない．また，そもそも「軽蔑」は比較やヒエラルキーにかかわるとする考えがある：Darwall, S. (2018). Contempt as an other-characterizing, "hierarchizing" attitude. In M. Mason (Ed.), *The Moral Psychology of Contempt* (pp. 193-215). Rowman and Littlefield.

p. 33「良し悪しは水もの」成績は単なる指標であり，お金も道具的価値のみを有するはずだが，それら自体が目標とされてしまう．「高ければ高いほど良い」「多ければ多いほど良い」と確実に言えるものは，おそらく，「幸福」「幸せの度合い」といったものであろう．そして，どのような性質や環境が各人の幸福に貢献するのかは一意的に決まらない．したがって，「成績は良いにこしたことはない」すら確実には言えない．成績がその人物の幸福に貢献するかどうかは分からないからである．

p. 34「記述のランキングは単なる事実関係」「事実」はそもそも中立的で客観的なものなのかという懸念もある．たとえば，誰が難関国立大学に合格できるかは，1点刻みで「客観的に」「テストの点だけで」決定される揺るぎない「事実」

と思われがちだが，どの問題にどのように配点するかによって合格・不合格のグループは大きく変動する．どうして問いAへの配点が3点ではなく，2点なのだろうか．もし配点が問いBのように3点だったら合格していたのに，という人物は必ず出てくるのである．絶対に2点でなければならなかったという必然的理由があるのだろうか．2.5点では？　1.8点では？　1.91点では？　論理的にはいくらでも他の選択肢が存在する以上，そこには恣意性，担当者の「エイや！」という決断が入り込むしかない（当然そうした恣意性も含めて公平性が担保されていると私たちは考えるわけであるが）．以下も参考になる：ペーテル・エールディ（2020）．『ランキング――私たちはなぜ順位が気になるのか？』（高見典和訳）．日本評論社．

p. 34「給料は高い方が良い」単に所得があることではなく，人より多く稼ぐというランキングが重視されてしまっている．たとえば，所得の絶対的総額よりも，所得の序列のどこに自分が位置しているかが，精神的な苦痛と相関するという研究がある．そのような序列がもたらす精神的害については，以下の第2章が参考になる：リチャード・ウィルキンソン，ケイト・ピケット（2020）．『格差は心を壊す――比較という呪縛』（川島睦保訳）．東洋経済新報社．

p. 35「「評価する」ことと…「尊重する」ことの区別」Stephen Darwallの「評価的尊敬」（appraisal respect）と「認知的尊敬」（recognition respect）の区別が念頭にある：Darwall, S. L.（1977）. Two kinds of respect. *Ethics*, 88（1）, 36–49.

p. 36「「人として上」「人間として下」」「上」がより優れてお

り，「下」がより劣っているという発想そのものが普遍的かどうかは定かではないが，「上」「下」を価値と関連づける表現はさまざまな言語で見つかる．フランス語の「見下す」は“regarder de haut”であり，“de haut”「上から」“regarder”「見る」という表現である．

p. 36「存在のランキングは……世界観の一部」アーサー・O. ラヴジョイ（2013）．『存在の大いなる連鎖』（内藤健二訳）. 筑摩書房．（ちくま学芸文庫）．

p. 41「現代の生物学において」，アダム・ラザフォード（2022）．『遺伝学者、レイシストに反論する――差別と偏見を止めるために知っておきたい人種のこと』（小林由香利訳）. フィルムアート社.

p. 44「とある伯爵夫人が」Waldron, J.（2012）. *Dignity, Rank, & Rights*. Oxford University Press, p. 56.「尊厳」概念を社会的立場の観点から理解しようとする発想は，ウォルドロンのものであり，この節における議論はウォルドロンに強く影響を受けている．「尊厳」そのものを普遍化された社会的立場，各人に付与されるべき同等のランクととらえると，その社会的立場を毀損することが「尊厳を損なうこと」として理解可能となる．

p. 45「アブグレイブ刑務所」セイモア・ハーシュ（2004）．『アメリカの秘密戦争――9・11からアブグレイブへの道』（伏見威蕃訳）．日本経済新聞出版.

p. 47「人の尊厳を傷つける」本書での議論は義務論的立場と親和性が高いが，必ずしも義務論的道徳理論を前提とするわ

けではない．社会的ランクの不均衡は中長期的害へと帰結する可能性が非常に高いことを踏まえると，害を悪さの中心的要因とする功利主義的立場と接続することも可能である．2節で否定されているのは，悪口の悪さを短期的精神的危害のみに還元する発想であり，社会的ランクと関係する，より観察が難しい複雑な害（長期的不利益など）を考えることはもちろん可能である．規則功利主義的に，ランクの不均衡を制限する立場などが想像できる．

p. 47「人を傷つけるか……悪意があるか」本書は，以下の本で解説されている差別の哲学における3つの対抗軸，差別の害説・心理状態説・社会的意味説と類似的な議論を展開している：池田喬・堀田義太郎（2021）．『差別の哲学入門』アルパカ．ランク概念を通じて悪口を理解する本書の立場は，明らかに差別の社会的意味説と親和性がある．社会的意味説の擁護者 Deborah Hellman は，社会的意味説における重要概念「貶価」（demeaning）を権力や社会的立場に言及して特徴づける：Hellman, D.（2018）. Discrimination and social meaning. In Lippert-Rasmussen, *Routledge Handbook of the Ethics of Discrimination*（pp. 97–107）. Routledge.

p. 53「黒人の人々に対する差別的単語」藤本規夫．（1998）．アメリカ黒人の呼称について．『広島文教女子大学紀要』，33, 95–101. Croom, A. M.（2011）. Slurs. *Language Sciences*, 33, 343–358.

p. 55「アメリカの黒人青年」黒人差別は過去のものではないのか，という発想は悪い意味でナイーブである．この注を書いている最中にも（2023年4月）次のような信じがたい事件が報道された．黒人である16歳の高校生ラルフ・ヤール

(Ralph Yarl) が，兄弟を迎えに行った先で，間違った家の呼び鈴を鳴らしたところ，白人の家主にいきなり2発の弾丸を浴びせられ，重傷を負ったという．黒人の身体を持っているというだけで，いつ銃で撃たれるのか分からないという環境は，差別的環境だと言える．

p. 58「会話を行うとき……ある種のスコアを心の中でつけて」Lewis, D. (1979). Scorekeeping in a language game. *Journal of Philosophical Logic*, 8 (1), 339–359.

p. 60「一九五八年の新聞」「朝日新聞」1958. 12. 29 東京夕刊.

p. 65「解放された黒人……名前の変更」ジェームス・M・バーダマン (2020).『アメリカ黒人史――奴隷制からBLMまで』(森本豊富訳). 筑摩書房. (ちくま新書).

p. 66「権力者がライセンスを与える」Maitra, I. (2012). Subordinating speech. In I. Maitra & M. K. McGowan (Eds.), *Speech and Harm: Controversies over Free Speech* (pp. 94–120). Oxford University Press. 類似の観点は「上からの差別」として以下にも見られる：梁英聖 (2016).『日本型ヘイトスピーチとは何か――社会を破壊するレイシズムの登場』影書房.

p. 79「ハリー・フランクファート」Frankfurt, H. G. (1998). Equality and respect. In *Necessity, Volition, and Love* (pp. 146–154). Cambridge University Press.

p. 80「「若者はいいね」や「田舎はいいね」」これらは一般化を行う「総称文」でもあり，総称文に特有の問題も抱えてい

る：和泉 op. cit.「第７章　総称文はすごい」.

p. 82「「非難」や「批判」ということば」「非難」は英語の "blame" に対応するものと想定されている．以下の論文集をはじめ，非難の哲学には近年注目が高まっている：Coates, D. J., & Tognazzini, N. A. (Eds.). (2013). *Blame: Its Nature and Norms*. Oxford University Press. この論文集に含まれる論文の多くが，非難の "forward-looking" な側面を検討している．また，以下の論文では，典型的な非難の目的は相互の道徳理解の一致を高めることとされている：Fricker, M. (2016). What's the point of blame? A paradigm based explanation. *Noûs*, 50 (1), 165-183.

p. 91「シーライオニング」デイヴィッド・マルキという作家のウェブコミックに由来する：http://wondermark.com/1k62/ (最終閲覧日 2023 年５月４日).

p. 95「障がいの社会モデル」日本が批准している国連の「障害者の権利に関する条約」においても，障がいは「機能障害を有する者とこれらの者に対する態度及び環境による障壁との間の相互作用」と述べられている：https://www.mofa.go.jp/mofaj/gaiko/jinken/index_shogaisha.html (最終閲覧日 2023 年５月４日).

p. 95「代わりに、名詞を作らず」以下の議論が参考になる：Leslie, S. -J. (2017). The original sin of cognition: Fear, prejudice, and generalization. *Journal of Philosophy*, 114 (8), 393-421.

p. 96「「戦い」や「戦争」として語る」ジョージ・レイコフ，

マーク・ジョンソン（1986）．『レトリックと人生』（渡部昇一・楠瀬淳三・下谷和幸訳），大修館書店，pp. 4–5.

p. 96「障がいのある人」本書初版では，「障がいを持った人」としていたが，「持つ」よりも「ある」という表現の方がふさわしいという意見があることを堀田義太郎氏との会話から学んだため，このように変更した．本文の論点にあるように，どの表現がふさわしいかは他者が決めることではないため，今後も変更の余地があると考える．

p. 96「「ゴミ」は「捨てる」もの」言語哲学における推論主義の立場から，差別的な語句と差別的な，さらには暴力的な行為との結びつきを検討した研究は以下である：Tirrell, L.（2012）. Genocidal language games. In I. Maitra & M. K. McGowan（Eds.）, *Speech and Harm: Controversies over Free Speech*（pp. 174–221）. Oxford University Press.

p. 98「差別語と侮蔑語」以下も参照されたい：和泉 op. cit.「第 8 章　ヘイトスピーチ」. また，差別語と侮蔑語を区別する方針は，以下の影響を受けている：小林健治ほか（2016）.『最新差別語・不快語』にんげん出版.

p. 99「“Jap silk”」Hughes, G.（2006）. *An Encyclopedia of Swearing: The Social History of Oaths, Profanity, Foul Language, and Ethnic Slurs in the English-speaking World*. M. E. Sharp., p. 261. また，以下の文献は “Jap” の差別的用法を図版付きで詳しく解説している：苅部恒徳（2006）．英語差別用語の基礎的研究（2）：人種差別用語 Jap（s）を中心に．『新潟国際情報大学情報文化学部紀要』，9, 1–17.

p. 105「優越説」優越説以外の笑いの理論も悪口と関係していると思われる．たとえば，概念などの不一致を引き起こすことが面白いとする「不一致説」がある．悪口にはひとひねりが加えられていることが多く，意外なことばの組み合わせや，意外な人物に意外なフレーズをぶつけることもあるため，笑いが生じると考えられる．現代における不一致説擁護論としては以下がある：マシュー・M・ハーレー，ダニエル・C・デネット，レジナルド・B・アダムズ Jr.（2015）．『ヒトはなぜ笑うのか』（片岡宏仁訳）．勁草書房．

p. 105「笑いがこみ上げてくる」トマス・ホッブズ（2014）．『リヴァイアサン 1』（角田安正訳）．光文社．（光文社古典新訳文庫），pp. 102–3.

p. 109「通常，笑いに伴う無感動」アンリ・ベルクソン（1976）．『笑い』（林達夫訳）．岩波書店．（岩波文庫），p. 14.

p. 110「固有の意味で人間的」ベルクソン op. cit., p. 13.

p. 111「笑いには反響が要る」ベルクソン op. cit., p. 15.

p. 116「汚いことば……心の中に特別な場所」Finkelstein, S. (2019). Swearing and the Brain. In A. K. Allan (Ed.), *The Oxford Handbook of Taboo Words and Language* (pp. 108–139). Oxford University Press.

p. 116「「安全ピン」は出てこないのに」Van Lancker, D., & Cummings, J. L. (1999). Expletives: neurolinguistic and neurobehavioral perspectives on swearing. *Brain Research Reviews*, 31, 83–104.

p. 116「トゥレット症候群」以下の第３章が参考になる：エマ・バーン（2018）．『悪態の科学——あなたはなぜ口にしてしまうのか』（黒木章人訳）．原書房．

p. 117「暴言を言うことで、痛みにより耐える」Stephens, R. et al.（2009）. Swearing as a response to pain. *Neuroreport*, 20（12）, 1056–1060; Stephens, R., & Robertson, O.（2020）. Swearing as a Response to Pain: Assessing Hypoalgesic Effects of Novel "Swear" Words. *Frontiers in Psychology*, 11, 723, 1–10.

p. 117「笑うとより痛みに耐える」Dunbar, R. et al.（2012）. Social laughter is correlated with an elevated pain threshold. *Proceedings of the Royal Society B: Biological Sciences*, 279（1731）, 1161–1167.

p. 118「狩猟採集民」狩猟採集民については以下を参照している：尾本恵市（2016）．『ヒトと文明——狩猟採集民から現代を見る』筑摩書房．（ちくま新書）．また，本節で取りあげられている人間集団の大きさや，ゴシップの重要性に関しては人類学者ロビン・ダンバーから影響を受けている：ロビン・ダンバー（2016）．『ことばの起源：猿の毛づくろい、人のゴシップ』（新装版）（松浦俊輔・服部清美訳）．青土社；ロビン・ダンバー（2016）．『人類進化の謎を解き明かす』（鍛原多惠子訳）．インターシフト．

p. 119「リチャード・リー」リーの逸話と，サン人に関する研究は以下を参照：Lee, R. B.（1969）. Eating Christmas in the Kalahari. *Natural History*, 78, 14–22; 60; Lee, R. B.（1979）. *The !Kung San: Men, Women and Work in a For-*

aging Society. Cambridge University Press. また，以下のp. 205 においても，リーの逸話が簡潔に触れられている：リチャード・ランガム．(2020)．『善と悪のパラドックス――ヒトの進化と〈自己家畜化〉の歴史』(依田卓巳訳)．NTT出版.

p. 123「ことばによる牽制」クリストファー・ボーム．(2014)．『モラルの起源――道徳、良心、利他行動はどのように進化したのか』(斉藤隆央訳)．白揚社.「ムブーティー・ピグミー」の例は p. 51．狩猟採集民の物理的制裁についても，本書から多くを学んだ.

p. 127「スターリン」Jonathan Waterlow の著作 *It's only a joke, Comrade!: Humour, Trust and Everyday Life under Stalin*（1928–1941）にもとづいた，以下のウェブ記事を引用している：The jokes always saved us: Humour in the time of Stalin. https://aeon.co/ideas/the-jokes-always-saved-us-humour-in-the-time-of-stalin（最終閲覧日 2023 年 5 月 4 日）.

p. 129「ヴァーチャルな悪口」本節の内容の一部は以下の論文にもとづいている：和泉悠（2023）．バーチャル劣位化としての悪口．『倫理学年報』，72, 129–142.

chikuma primer shinsho

ちくまプリマー新書 432
悪口《わるぐち》ってなんだろう

二〇二三年八月十日　初版第一刷発行
二〇二四年六月五日　初版第五刷発行

著者　和泉悠（いずみ・ゆう）

装幀　クラフト・エヴィング商會

発行者　喜入冬子

発行所　株式会社筑摩書房
東京都台東区蔵前二－五－三　〒一一一－八七五五
電話番号　〇三－五六八七－二六〇一（代表）

印刷・製本　株式会社精興社

ISBN978-4-480-68459-2 C0280 Printed in Japan